ΠΑΓΚΟΣΜΙΑ ΛΟΓΟΤΕΧΝΙΑ ΓΙΑ ΠΑΙΔΙΑ

ΤΟ ΛΙΟΝΤΑΡΙ, Η ΜΑΓΙΣΣΑ
ΚΑΙ Η ΝΤΟΥΛΑΠΑ

ΤΟ ΧΡΟΝΙΚΟ ΤΗΣ ΝΑΡΝΙΑ

ΤΟ ΧΡΟΝΙΚΟ ΤΗΣ ΝΑΡΝΙΑ
Κ. Σ. ΛΙΟΥΙΣ

———

ΤΟ ΛΙΟΝΤΑΡΙ, Η ΜΑΓΙΣΣΑ ΚΑΙ Η ΝΤΟΥΛΑΠΑ

ΜΕΤΑΦΡΑΣΗ
ΤΖΕΝΗ ΜΑΣΤΟΡΑΚΗ

ΕΙΚΟΝΟΓΡΑΦΗΣΗ
PAULINE BAYNES

ΚΕΔΡΟΣ

ISBN   978-960-04-0002-1

Τίτλος πρωτοτύπου:
C.S. Lewis: «The Lion, the Witch and the Wardrobe»

Για το κείμενο © 1950 C.S. Lewis Pte. Ltd.
Για την εικονογράφηση © 1950 C.S. Lewis Pte. Ltd.
© *Για την έκδοση στα ελληνικά, Εκδόσεις Κέδρος, Α.Ε., 1978*
www.kedros.gr
e-mail: books@kedros.gr

Για τη Λούσυ Μπεαρφίλντ

Αγαπημένη μου Λούσυ,
Αυτή την ιστορία την έγραψα για σένα, μα όταν την άρχιζα δεν
ήξερα πως τα κοριτσάκια μεγαλώνουν πιο γρήγορα από τα βι-
βλία. Έτσι τώρα είσαι πολύ μεγάλη για παραμύθια, κι ώσπου να
τυπωθεί και να δεθεί θα είσαι ακόμα μεγαλύτερη. Κάποια μέρα
όμως θα γίνεις αρκετά μεγάλη για να ξαναγυρίσεις στα παραμύ-
θια. Θα το κατεβάσεις τότε από κάποιο ψηλό ράφι, θα το ξεσκο-
νίσεις και θα μου πεις τη γνώμη σου. Το πιθανότερο είναι πως
θα 'μαι πολύ κουφός για να σ' ακούσω και πολύ γέρος για να κα-
ταλάβω τι μου λες, αλλά θα σ' αγαπώ σαν πάντα,

Ο νουνός σου
Κ. Σ. Λιούις

ΠΕΡΙΕΧΟΜΕΝΑ

Η Λούσυ τρυπώνει στη ντουλάπα

Ήτανε κάποτε τέσσερα παιδιά, ο Πήτερ, η Σούζαν, ο Έντμουντ και η Λούσυ. Σ' αυτή την ιστορία θα σας μιλήσω για την περιπέτεια που έζησαν κάποια φορά, παλιά, στα χρόνια του πολέμου, όταν τα φυγαδέψαν από το Λονδίνο γιατί γινόντουσαν βομβαρδισμοί. Τα στείλανε λοιπόν στο σπίτι ενός γερο-καθηγητή, που έμενε στην καρδιά της εξοχής, δέκα μίλια από τον κοντινότερο σιδηροδρομικό σταθμό και δύο μίλια από το γειτονικό ταχυδρομείο. Ο καθηγητής, δεν είχε γυναίκα, κι έμενε σ' ένα πελώριο σπίτι μαζί με την οικονόμο του, την κυρα-Μακρέντυ, και τρεις υπηρέτριες. (Αυτές εδώ τις έλεγαν Ήβη, Μπέτυ και Μαργαρίτα, αλλά δεν παίζουνε σπουδαίο ρόλο στην ιστορία μας). Ήταν πολύ γέρος ο καθηγητής, με φουντωτά πυκνά μαλλιά που του φυτρώναν στο κεφάλι και στο μισό του πρόσωπο, και τον έβαλαν αμέσως στην καρδιά τους· το πρώτο βράδυ όμως που βγήκε στην πόρτα να τους υποδεχτεί είχε τόσο παράξενη όψη, που η Λούσυ (η μικρότερη) τόνε φοβήθηκε λιγάκι, κι ο Έντμουντ (ο αμέσως μεγαλύτερός της) πάτησε τα γέλια κι έκανε πως φυσάει τη μύτη του για να μην τον πάρουν είδηση.

Όταν πια καληνύχτισαν τον καθηγητή κι ανέβηκαν στο πάνω πάτωμα, τ' αγόρια τρύπωσαν στο δωμάτιο των κοριτσιών για να τα κουβεντιάσουν.

«Τύχη βουνό!» έκανε ο Πήτερ. «Θα τα περάσουμε σπουδαία. Ο φιλαράκος θα μας αφήνει να κάνουμε ό,τι θέλουμε».

«Είναι πολύ γλυκό γεροντάκι», είπε η Σούζαν.

«Δε με παρατάτε, λέω γω!» γκρίνιαξε ο Έντμουντ, που ήταν κουρασμένος αλλά παράσταινε τον ξεκούραστο, κι αυτό όπως πάντα του χαλούσε το κέφι. «Ώρα που βρήκατε για τέτοιες κουβέντες!».

«Τι σου φταίνε οι κουβέντες;» είπε η Σούζαν. «Και, εδώ που τα λέμε, εσύ θα 'πρεπε να βρίσκεσαι στο κρεβάτι».

«Για κοίτα, μη μου κάνεις τη μαμά εμένα!» είπε ο Έντμουντ. «Από πού κι ως πού θα μου πεις πότε να πλαγιάσω; Άμα νυστάζεις, τράβα να κοιμηθείς!».

«Καλύτερα να πάμε όλοι για ύπνο», μπήκε στη μέση η Λούσυ. «Αν μας ακούσουν να μιλάμε, θα φάμε κατσάδα».

«Αποκλείεται», είπε ο Πήτερ. «Όπως σας βλέπω και με βλέπετε, σ' αυτό το σπίτι κανείς δε θα νοιαστεί ποτέ τι κάνουμε. Κι έπειτα, πώς να μας ακούσουν; Από δω ως κάτω στην τραπεζαρία είναι δέκα λεπτά δρόμος, κι ανάμεσά μας ένα σωρό σκάλες και διάδρομοι».

«Τι έκανε έτσι;» πετάχτηκε ξαφνικά η Λούσυ.

Πρώτη φορά βρισκόταν σε τόσο μεγάλο σπίτι, και μόνο που σκεφτόταν τους μακριούς διαδρόμους και τις πόρτες που έβγαζαν σε αδειανά δωμάτια, την έπιανε σύγκρυο.

«Πουλί ήτανε, βρε χαζή», είπε ο Έντμουντ.

«Κουκουβάγια», διόρθωσε ο Πήτερ. «Πρέπει να 'χει του κόσμου τα πουλιά εδώ γύρω. Εγώ πάντως πάω για ύπνο, κι αύριο θα τα ψάξουμε όλα με την ησυχία μας. Σε μέρος σαν κι αυτό, μπορεί να βρεις, ό,τι βάλει ο νους σου. Είδατε κείνα τα βουνά που περάσαμε; Αμ' τα δάση; Πρέπει να 'χει αετούς. Και ελάφια. Και γεράκια».

«Και ασβούς!» είπε η Λούσυ.

«Και αλεπούδες!» είπε ο Έντμουντ.

«Και λαγούς!» είπε η Σούζαν.

Όταν όμως ξημέρωσε η άλλη μέρα, είχε πιάσει μια μονότονη κι επίμονη βροχή, τόσο πυκνή, που από το παράθυρο όχι δάση δεν έβλεπες, μα μήτε το ρυάκι στον κήπο.

«Όλα τα 'χαμε, η βροχή μας έλειπε!» είπε ο Έντμουντ. Είχαν τελειώσει τώρα δα το πρωινό τους με τον καθηγητή, κι ανέβηκαν στο δωμάτιο που τους βόλεψε για να παίζουν· ήταν μακρύ και χαμηλοτάβανο, με δυο παράθυρα μπροστά κι άλλα δύο πίσω.

«Να χαρείς, καημένε, άσε τις γκρίνιες», είπε η Σούζαν. «Πάω στοίχημα πως σε καμιά ώρα ο καιρός θ' ανοίξει. Και στο μεταξύ, δεν περνάμε κι άσκημα. Έχουμε ραδιόφωνο, κι ένα σωρό βιβλία».

«Αυτά είναι για σας», είπε ο Πήτερ. «Εγώ λέω να εξερευνήσω το σπίτι».

Όλοι συμφώνησαν, κι έτσι άρχισαν οι περιπέτειες. Το σπίτι έμοιαζε να μην έχει τέλος, γεμάτο αναπάντεχες κρυψώνες. Οι πρώτες πόρτες που άνοιξαν έβγαζαν στα υπνοδωμάτια των ξένων – αυτό το περίμεναν· πιο κάτω όμως, συνάντησαν μια αίθουσα μακρόστενη, όλο κάδρα και μια πανοπλία· άνοιξαν έπειτα άλλη πόρτα κι είδαν μια κάμαρα ντυμένη με πράσινες κουρτίνες, και στη γωνιά στεκόταν μια μεγάλη άρπα· κατέβηκαν τρία σκαλιά, ανέβηκαν άλλα πέντε, βγήκαν σ' ένα διαδρομάκι, κι από κει πέρασαν την πόρτα και βρέθηκαν στη γαλαρία· ανακάλυψαν τότε μια σειρά δωμάτια, που το ένα έβγαζε στο άλλο, κι είχαν τους τοίχους γεμάτους βιβλία – παμπάλαια, τα πιο πολλά, και μερικά πιο μεγάλα κι από το ευαγγέλιο στην εκκλησία. Και παρακάτω βρήκαν κι άλλο δωμάτιο, αδειανό, και μέσα μια μεγάλη ντουλάπα, από κείνες με τον καθρέφτη στην πόρτα. Δεν είχε τίποτ' άλλο, εκτός από μια ψόφια χρυσόμυγα στο περβάζι.

«Τίποτα κι εδώ!» είπε ο Πήτερ, κι όλοι βγήκανε πάλι τσούρμο – όλοι, εκτός από τη Λούσυ. Αυτή έμεινε πίσω, γιατί σκέφτηκε πως δε θα 'ταν άσκημα ν' ανοίξει τη ντουλάπα, κι ας ήτανε σχεδόν σίγουρη πως θα την έβρισκε κλειδωμένη. Για μεγάλη της έκπληξη όμως, η πόρτα άνοιξε εύκολα και δυο βολαράκια ναφθαλίνη κύλησαν στο πάτωμα.

Κοίταξε μέσα, και τι να δει; Ένα σωρό πανωφόρια – τα πιο πολλά μακριά, γούνινα. Και καθώς της άρεσε πολύ η αφή κι η μυρωδιά της γούνας, μια και δυο τρύπωσε στη ντουλάπα, χώθηκε ανάμεσα στα κρεμασμένα πανωφόρια, κι έτριψε το πρόσωπό της πάνω τους. Φυσικά, είχε φροντίσει ν' αφήσει την πόρτα μισάνοιχτη, γιατί ήξερε πως είναι μεγάλη κουταμάρα να κλείνεσαι σε ντουλάπες. Σε λίγο προχώρησε πιο βαθιά, κι ανακάλυψε πως είχε και δεύτερη σειρά πανωφόρια πίσω από την πρώτη. Εκεί μέσα ήτανε σκο-

τεινά σχεδόν, και τέντωσε τα χέρια της μπροστά για
να μην κουτουλήσει στην πλάτη της ντουλάπας.
Έκανε κι άλλο βήμα – κι έπειτα δεύτερο και τρίτο –
κι ώρα την ώρα περίμενε να νιώσει το ξύλο στα δά-
χτυλά της. Αλλά τίποτα.

«Πρέπει να 'ναι τεράστια ντουλάπα», σκέφτηκε η
Λούσυ, κι όλο προχωρούσε, παραμερίζοντας τις μα-
λακές πτυχές των πανωφοριών για ν' ανοίγει δρόμο.

Πρόσεξε τότε πως κάτι έτριζε κάτω από τα πόδια της.
«Λες να 'ναι η ναφθαλίνη;» σκέφτηκε, κι έσκυψε για
να ψαχουλέψει τον πάτο της ντουλάπας. Αντί όμως
για το σκληρό και λείο ξύλο, έπιασε κάτι απαλό σα
σκόνη, τρομερά κρύο. «Μυστήριο πράγμα», είπε κι
έκανε άλλα δυο βήματα.

Την ίδια στιγμή ένιωσε πως αυτό που τριβότανε στα
χέρια και το πρόσωπό της δεν ήταν πια οι απαλές
γούνες, μα κάτι τραχύ και σκληρό, τόπους τόπους θα

'λεγες πως έχει αγκάθια. « Ωραίο και τούτο, σαν κλαριά δέντρων φαίνονται!» φώναξε η Λούσυ. Και τότε είδε μπροστά της το φωτάκι· όχι όμως λίγους πόντους πιο κει, όπου θα 'πρεπε να βρίσκεται η πλάτη της ντουλάπας, αλλά πέρα μακριά. Πάνω της έπεφτε κάτι κρύο και απαλό. Και τότε μόνο κατάλαβε πως στεκόταν στη μέση ενός δάσους, νύχτα , με χιόνι κάτω από τα πόδια της και τον αέρα γεμάτο χιονονιφάδες. Η Λούσυ τρόμαξε λιγάκι, για να λέμε την αλήθεια, μα ένιωθε να την κεντρίζει μεγάλη περιέργεια. Κοίταξε πίσω, και κει, ανάμεσα στους σκοτεινούς κορμούς των δέντρων, ξεχώρισε την ανοιχτή πόρτα της ντουλάπας, φαινόταν ως και το αδειανό δωμάτιο απ' όπου είχε ξεκινήσει. (Φυσικά, είχε αφήσει την πόρτα ανοιχτή, γιατί ήξερε πως είναι μεγάλη κουταμάρα να κλείνεσαι σε ντουλάπια). Στο δωμάτιο φαινόταν να 'χει ακόμα μέρα. « Έτσι κι αλλιώς, αν κάτι δεν πάει καλά, μπορώ να γυρίσω όποτε θέλω», σκέφτηκε η Λούσυ. Άρχισε λοιπόν να προχωράει, κριτς-κρατς, μέσα στο χιονισμένο δάσος, ζυγώνοντας το φωτάκι.

Το έφτασε σε καμιά δεκαριά λεπτά, κι ανακάλυψε πως ήταν ένας φανοστάτης. Στάθηκε και τον κοίταξε, και δεν μπορούσε να καταλάβει τι γυρεύει κοτζάμ φανοστάτης στη μέση του δάσους, μήτε ήξερε τι να κάνει, όταν ξαφνικά άκουσε ένα πατ-πατ από ποδαράκια που έρχονταν προς το μέρος της. Και, σε λίγο, ένα πολύ παράξενο πλάσμα ξεπρόβαλε απ' τα δέντρα και μπήκε στο φωτισμένο κύκλο του φανοστάτη.

Στο μπόι ήταν λιγάκι ψηλότερο από τη Λούσυ, και βάσταγε μιαν ανοιχτή ομπρέλα, κάτασπρη απ' το χιόνι. Από τη μέση και πάνω έμοιαζε με άνθρωπο, αλλά τα πόδια του ήταν κατσικίσια (με τρίχες κατάμαυρες και γυαλιστερές), κι αντί για δάχτυλα και πατούσες είχε οπλές κατσίκας. Είχε και ουρά, μα η Λούσυ δεν την πρόσεξε στην αρχή, γιατί ήτανε κουλουριασμένη όμορφα όμορφα στο χέρι που βαστούσε την ομπρέλα, για να μη σέρνεται στο χιόνι. Στο λαιμό του φορούσε κόκκινο πλεχτό κασκόλ, και το δέρμα του ήταν ροδοκόκκινο. Είχε μουτράκι παράξενο αλλά χαριτωμένο, κοντό σουβλερό γενάκι, κατσαρά μαλλιά, κι ανάμεσά τους πετούσαν δύο κέρατα, δεξιά κι αριστερά στο μέτωπό του. Στο ένα του χέρι, όπως σας έλεγα, κρατούσε την ομπρέλα· στο άλλο κουβαλούσε κάμποσες καφετιές χαρτοσακούλες, παραφουσκωμένες. Με τούτα τα πακέτα και το χιόνι, θα 'λεγες πως είχε βγει για χριστουγεννιάτικα ψώνια. Ήτανε Φαύνος. Και βλέποντας τη Λούσυ τινάχτηκε ξαφνιασμένος και του πέσαν όλα τα πακέτα.

«Μπα σε καλό μου!» φώναξε ο Φαύνος.

Και να τι βρήκε η Λούσυ

«Καλησπέρα», είπε η Λούσυ. Όμως ο Φαύνος ήταν τόσο απασχολημένος με τα πακέτα του, που δεν της απάντησε με την πρώτη. Καμιά φορά τα μάζεψε, και της έκανε μια μικρή υπόκλιση.

«Πολύ καλησπέρα σας», είπε ο Φαύνος. «Να με συγχωρείτε, δε θέλω να φανώ αδιάκριτος, αλλά αν δεν απατώμαι είσαστε Κόρη της Εύας;».

«Εμένα πάντως με λένε Λούσυ», απάντησε χωρίς να τον πολυκαταλαβαίνει.

«Και είσαστε – με το συμπάθιο, δηλαδή – αυτό που λένε... κορίτσι;» ρώτησε ο Φαύνος.

«Θέλει ρώτημα;» είπε η Λούσυ.

«Δηλαδή, σα να λέμε, Άνθρωπος;».

«Και βέβαια είμαι άνθρωπος», απάντησε η Λούσυ, που δεν είχε συνέρθει ακόμα απ' το σάστισμα.

«Σωστά, σωστά!» είπε ο Φαύνος. «Τι κουταμάρες

κάθομαι και λέω! Αλλά είναι που δεν είχα δει ποτέ μου Γιο του Αδάμ ή Κόρη της Εύας. Χαίρω πολύ για τη γνωριμία. Δηλαδή –» και σταμάτησε απότομα, λες και πήγε να του ξεφύγει κάτι που δεν ήθελε να πει, αλλά το κράτησε πάνω στην ώρα. «Χαίρω πολύ, χαίρω πολύ», συνέχισε. « Επιτρέψτε μου να σας συστηθώ. Με λένε Τούμνους».

«Χαίρομαι πολύ που σας γνώρισα, κύριε Τούμνους», είπε η Λούσυ.

«Και αν επιτρέπετε, ω Λούσυ Κόρη της Εύας», είπε ο κύριος Τούμνους, «πώς ήρθατε στη Νάρνια;».

«Ποια Νάρνια;» είπε η Λούσυ.

«Μα εδώ είναι η χώρα της Νάρνια», είπε ο Φαύνος, «εδώ που στεκόμαστε τώρα δα· όλα όσα βρίσκονται ανάμεσα στο φανοστάτη και στο μεγάλο κάστρο του Κάιρ Πάραβελ στην Ανατολική θάλασσα. Και σεις – ήρθατε από τα άγρια δάση της δύσης;».

« Ε – εγώ ήρθα από τη ντουλάπα του ξενώνα», είπε η Λούσυ.

« Α μάλιστα!» έκανε ο κύριος Τούμνους μελαγχολικά. «Βλέπετε, αν μελετούσα περισσότερο γεωγραφία όταν ήμουνα φαυνόπουλο, θα ήξερα κατά πού πέφτουν όλες αυτές οι παράξενες χώρες. Τώρα όμως είναι πια πολύ αργά».

«Μα τι χώρες μου λέτε, καλέ;» είπε η Λούσυ βαστώντας τα γέλια της. «Να, εκειπέρα, πίσω είναι – δηλαδή... δεν είμαι και τόσο σίγουρη. Εκεί είχαμε καλοκαίρι».

«Και στο μεταξύ», είπε ο Φαύνος, «εμείς στη Νάρνια έχουμε χειμώνα, και είναι πάντα χειμώνας, και θα πουντιάσουμε κι οι δύο αν κάτσουμε εδώ στα χιόνια να κουβεντιάζουμε. Λοιπόν, Κόρη της Εύας από τη μακρινή χώρα του Ξεν-Ώνα, όπου βασιλεύει αιώνιο

καλοκαίρι γύρω από τη λαμπερή πόλη της Ντουλ Άπα, τι λέτε, θα πάρετε ένα τσάι μαζί μου;».

«Πολύ ευχαρίστως, κύριε Τούμνους», είπε η Λούσυ. «Νομίζω όμως ότι θα 'ταν καλύτερα να γυρίσω πίσω».

«Μα δε μένω μακριά, να εδώ πιο κάτω», είπε ο Φαύνος, «η φωτιά θα βουίζει στο τζάκι μου – και έχει φρυγανιές – και σαρδέλες – και γλυκό».

«Είναι πολύ ευγενικό από μέρους σας», είπε η Λούσυ, «αλλά δε θα μπορέσω να μείνω πολύ».

« Αν στηριχτείτε στο μπράτσο μου, Κόρη της Εύας», είπε ο κύριος Τούμνους, «θα χωρέσουμε κι οι δυο κάτω απ' την ομπρέλα. Έτσι μπράβο, αυτό είναι. Και τώρα – φύγαμε».

Βρέθηκε λοιπόν η Λούσυ να περπατάει μες στο δάσος, αλαμπρατσέτα με κείνο το παράξενο πλάσμα, λες και γνωρίζονταν από τα γεννοφάσκια τους.

Έκαναν λίγο δρόμο και φτάσαν σ' ένα μέρος όπου το έδαφος γινότανε τραχύ, με βράχια ολόγυρα και μικρά λοφάκια, όλο ανηφοριές και κατηφοριές. Στην καρδιά κάποιας μικρής κοιλάδας, ο κύριος Τούμνους έστριψε απότομα κι ετοιμάστηκε να περάσει μέσα από ένα ασυνήθιστα μεγάλο βράχο, αλλά την τελευταία στιγμή η Λούσυ ανακάλυψε πως την οδηγούσε στην είσοδο μιας σπηλιάς. Δυνατή φωτιά με κούτσουρα έκαιγε στο τζάκι, και την έκανε να κλείσει για μια στιγμή τα μάτια της. Ο κύριος Τούμνους έσκυψε, έπιασε απ' τη φωτιά ένα αναμμένο ξυλαράκι με μια όμορφη μικρή τσιμπίδα κι άναψε τη λάμπα. «Δε θ' αργήσουμε καθόλου», είπε κι έβαλε το τσαγερό να βράσει.

Η Λούσυ σκέφτηκε πως ποτέ της δεν είχε μπει σε πιο όμορφο σπιτικό. Ήτανε μια σπηλιά από κόκκινη πέτρα, στεγνή και πεντακάθαρη, με χαλί στο πάτωμα ·

είχε δυο μικρές καρεκλίτσες («μία για μένα και μία για κανένα φίλο», της εξήγησε ο κύριος Τούμνους), τραπέζι, ντουλάπι, και πάνω απ' την κορνίζα του τζακιού κρεμόταν η εικόνα ενός γερο-Φαύνου με σταχτιά γενειάδα. Στη γωνιά είχε μια πόρτα, που η Λούσυ φαντάστηκε ότι βγάζει στην κρεβατοκάμαρα του κυρίου Τούμνους, και στον άλλο τοίχο ένα ράφι

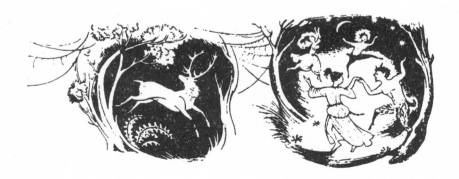

με βιβλία. Η Λούσυ τα περιεργάστηκε λιγάκι, ώσπου να ετοιμαστεί το τραπέζι. Είχαν κάτι μυστήριους τίτλους, όπως ας πούμε, *Ο Βίος και το Έργον του Σιληνού*, ή *Οι Νύμφες και οι Συνήθειές τους*, ή *Άνθρωποι, Καλόγεροι και Θηροφύλακες: Μια μελέτη του Λαϊκού Θρύλου*, ή πάλι *Είναι Μύθος ο Άνθρωπος;*

«Κόρη της Εύας, θαρρώ πως είμαστε έτοιμοι», είπε ο Φαύνος.

Κι ήταν σπουδαίο τσάι, μα την αλήθεια. Είχε ένα όμορφο καφετί αβγουλάκι για τον καθένα τους, κι έπειτα σαρδέλες με φρυγανιά, και φρυγανιές με βούτυρο και φρυγανιές με μέλι, και στο τέλος ένα κεκάκι πασπαλισμένο με ζάχαρη. Κι όταν πια η Λούσυ κουράστηκε να τρώει, ο Φαύνος άρχισε να μιλάει. Ήξερε να λέει σπουδαίες ιστορίες για τη ζωή στο δάσος. Της είπε για τους χορούς που γίνονταν τα μεσάνυχτα και για τις Νύμφες που κατοικούν στα πηγάδια και τις Δρυάδες που ζουν στα δέντρα, και βγαίνουν όλες να χορέψουν με τους Φαύνους· για το κυνήγι του Γαλατένιου Ελαφιού που, αν το 'πιανες, σου εκπλήρωνε όλες σου τις επιθυμίες· για ξεφαντώματα και για θησαυρούς που γύρευαν μαζί με τους άγριους Κόκκινους Νάνους, σε λαγούμια βαθιά και σπηλιές στα έγκατα του δάσους· κι έπειτα για το καλοκαίρι, που τα

δέντρα πρασινίζαν και κατάφτανε ο γερο-Σιληνός καβάλα στο τετράπαχο γαϊδουράκι του, καμιά φορά μάλιστα κι ο ίδιος ο Βάκχος, αυτοπροσώπως, και τότε στα ρυάκια έτρεχε κρασί αντί για νερό, κι όλο το δάσος σηκωνότανε στο πόδι απ' το γιορτάσι, βδομάδες και βδομάδες. «Βέβαια τώρα όλο χειμώνα έχουμε», πρόσθεσε λυπημένα. Κι έπειτα, για να το διασκεδάσει λίγο, έβγαλε απ' το ντουλάπι του ένα παράξενο μικρό

σουραύλι, που έμοιαζε καμωμένο από καλάμι, κι άρχισε να παίζει. Κι η μελωδία που έπαιζε έκανε τη Λούσυ να θέλει να κλάψει και να γελάσει μαζί, και να χορέψει και να κοιμηθεί. Θα 'χαν περάσει ώρες, όταν το κοριτσάκι τινάχτηκε απότομα και είπε:

« Αχ, κύριε Τούμνους – με συγχωρείτε που σας διακόπτω, μ' αρέσει πάρα πολύ η μουσική σας – όμως πρέπει να γυρίσω σπίτι. Έλεγα να καθίσω μόνο πέντε λεπτά».

«*Τώρα πια δεν έχει νόημα, ξέρετε*», είπε ο Φαύνος ακουμπώντας κάτω το σουραύλι του και κούνησε πολύ θλιμμένα το κεφάλι.

«Δεν έχει νόημα;» είπε η Λούσυ και πετάχτηκε πάνω· είχε αρχίσει να φοβάται λιγάκι. «Τι θέλετε να πείτε; Εγώ πρέπει να γυρίσω σπίτι αμέσως. Οι άλλοι θ' ανησυχούν πως κάτι έπαθα». Στάθηκε μια στιγμή, κι έπειτα ρώτησε, «Κύριε Τούμνους! Τι τρέχει;» γιατί τα καστανά μάτια του Φαύνου είχαν γεμίσει δάκρυα, κι έπειτα τα δάκρυα άρχισαν να κυλούν στα μάγουλά του, και σε λίγο να τρέχουν από την άκρη της μύτης του· στο τέλος, σκέπασε το πρόσωπό του με τα χέρια κι άρχισε να κλαίει μ' αναφιλητά.

«Κύριε Τούμνους! Αχ, κύριε Τούμνους!» έκανε η Λούσυ απελπισμένη. «Μην κλαίτε! Σας παρακαλώ! Μα τι τρέχει; Μήπως δε νιώθετε καλά; Καλέ μου κύριε Τούμνους, πέστε μου τι συμβαίνει». Όμως ο Φαύνος έκλαιγε με λυγμούς, λίγο ακόμα και θα ράγιζε η καρδιά του. Μήτε κι όταν η Λούσυ πήγε κοντά του και τον αγκάλιασε και του 'δωσε το μαντιλάκι της δεν έλεγε να σταματήσει. Πήρε μονάχα το μαντίλι κι όλο σκουπιζόταν, σκουπιζόταν, κι όταν μούσκευε, το 'στιβε και με τα δυο του χέρια, το στράγγιζε και ξανασκουπιζόταν, ώσπου σε λίγο η Λούσυ πατούσε σε μια λιμνούλα από δάκρυα.

«Κύριε Τούμνους!» του φώναξε η Λούσυ κοντά στ' αυτί και τον ταρακούνησε δυνατά. «Σταματείστε! Σταματείστε αμέσως! Ντροπή σας, κοτζάμ Φαύνος και να κλαίτε. Τι στο καλό σας έπιασε;».

«Όι-όι-όι!». Έκανε ο κύριος Τούμνους με λυγμούς. «Κλαίω γιατί είμαι πολύ κακός Φαύνος».

«Εμένα δε μου φαινόσαστε διόλου κακός», είπε η Λούσυ. «Νομίζω μάλιστα πως είσαστε σπουδαίος Φαύνος. Ο πιο καλός Φαύνος που γνώρισα ποτέ μου».

« Αχ, όχι – δε θα το λέγατε αν ξέρατε», απάντησε ο κύριος Τούμνους μέσα στο αναφιλητό του. « Όχι, όχι, είμαι κακός Φαύνος. Φαντάζομαι πως δεν έγινε χειρότερος Φαύνος από καταβολής κόσμου».

«Μα τι κάνατε τέλος πάντων;» ρώτησε η Λούσυ.

« Ο καημένος ο γεροπατέρας μου», είπε ο Φαύνος. «Να αυτός εδώ στη ζωγραφιά πάνω απ' το τζάκι. Εκείνος δε θα 'κανε ποτέ τέτοιο πράγμα». Τι πράγμα είπε η Λούσυ.

«Αυτό που έκανα εγώ!» είπε ο Φαύνος. «Να γίνει υπηρέτης της Λευκής Μάγισσας. Σαν κι εμένα. Πληρωμένος σκλάβος της Λευκής Μάγισσας!».

«Ποιας Λευκής Μάγισσας; Τι 'ναι πάλι Τούτη;».

«Αυτή; Αυτή, καλό μου παιδί, έχει στο χέρι ολόκληρη τη Νάρνια. Μας μάγεψε για να 'χουμε πάντα χειμώνα. Πάντα χειμώνα και ποτέ Χριστούγεννα· το χωράει ο νους σας;».

«Φρίκη!» είπε η Λούσυ. « Εσάς όμως, για τι σας πληρώνει;».

«Αυτό είναι το χειρότερο απ' όλα», είπε ο κύριος Τούμνους κι αναστέναξε βαθιά. « Εγώ κάνω απαγωγές για λογαριασμό της. Τέτοιες δουλειές κάνω. Για κοιτάξτε με καλά, Κόρη της Εύας... Θα λέγατε ποτέ πως είμαι από κείνους τους Φαύνους που ανταμώνουν στο δάσος ένα αθώο παιδί, που δεν τους έφταιξε τίποτα το καημενάκι, του κάνουν το φίλο, το καλούνε στη σπηλιά τους – κι όλ' αυτά για να το νανουρίσουν ν' αποκοιμηθεί κι έπειτα να το παραδώσουν στη Λευκή Μάγισσα;».

«Ποτέ», είπε η Λούσυ. «Είμαι βέβαιη πως εσείς δε θα κάνατε ποτέ τέτοιο πράγμα».

«Κι όμως, αυτό έκανα», είπε ο Φαύνος.

« Ε, λοιπόν», έκανε η Λούσυ αργά (γιατί ήθελε να

του μιλήσει ειλικρινά, μα όχι και να τον αποπάρει), «ε, λοιπόν, αυτό είναι πολύ κακό. Πάντως, αφού μετανιώσατε, είμαι σίγουρη πως δε θα το ξανακάνετε».

«Κόρη της Εύας, δεν καταλαβαίνεις», είπε ο Φαύνος. «Δεν είναι κάτι που έχω κάνει. Το κάνω, τώρα δα, ετούτη τη στιγμή».

«Τι – τι λέτε εκεί;» φώναξε η Λούσυ και χλώμιασε.

« Εσύ είσαι το παδί», είπε ο Τούμνους. « Η Λευκή Μάγισσα μ' έχει διατάξει, αν δω ποτέ Γιο του Αδάμ ή Κόρη της Εύας στο δάσος, να τους πιάσω και να τους πάω σε κείνην. Και συ είσαι η πρώτη που συναντώ. Γι' αυτό σου έκανα το φίλο, σε κάλεσα για τσάι, κι όλη την ώρα λογάριαζα να σε κοιμήσω πρώτα κι έπειτα να τρέξω να της το πω!».

« Α, μα δε θα κάνετε τέτοιο πράγμα, κύριε Τούμνους!» είπε η Λούσυ. «Δεν πρόκειται να το κάνετε – έτσι; Κι ύστερα, δεν είναι σωστό!».

« Αν δεν το κάνω», της απάντησε κι έπιασε πάλι το κλαψούρισμα, «εκείνη σίγουρα θα το μάθει. Και τότε θα διατάξει να μου κόψουν την ουρά και να μου πριονίσουνε τα κέρατα και να μου μαδήσουν το γενάκι μου, κι έπειτα θα κουνήσει το σκήπτρο της πάνω από τις όμορφες διχαλωτές οπλές μου και θα τις κάνει φριχτές και μονοκόμματες, σαν του παλιάλογου. Κι αν τύχει μάλιστα και θυμώσει πάρα μα πάρα πολύ, θα με κάνει πέτρα, θα γίνω άγαλμα Φαύνου στο απαίσιο σπιτικό της, ώσπου να συμπληρωθούν οι τέσσερις θρόνοι του Κάιρ Πάραβελ – που κανείς δεν ξέρει πότε θα γίνει, ούτε αν θα γίνει!».

«Λυπάμαι πολύ, κύριε Τούμνους», είπε η Λούσυ. « Όμως, να χαρείτε, αφήστε με να γυρίσω σπίτι».

«Και βέβαια θα σ' αφήσω», είπε ο Φαύνος. « Έτσι πρέπει. Τώρα το βλέπω καλά. Προτού να σε γνωρίσω, δεν ήξερα πως είναι οι Άνθρωποι. Σίγουρα, δεν μπορώ να σε παραδώσω στη Μάγισσα· τώρα που σε γνώρισα, αποκλείεται. Πρέπει όμως να φύγουμε αμέσως. Θα σε ξαναπάω στο φανοστάτη. Φαντάζομαι από κει να βρεις το δρόμο ως τον Ξεν-Ώνα και τη Ντουλ-Άπα.

«Θαρρώ πως θα τα καταφέρω», είπε η Λούσυ.

«Πρέπει να κάνουμε όσο πιο αθόρυβα μπορούμε», είπε ο κύριος Τούμνους. «Ολόκληρο το δάσος είναι γεμάτο κατασκόπους της. Ως και μερικά δέντρα πήγαν με το μέρος της».

Σηκώθηκαν κι αφήσαν τα σερβίτσια του τσαγιού στο τραπέζι, κι ο κύριος Τούμνους ξανάνοιξε την ομπρέλα του, πρόσφερε το μπράτσο του στη Λούσυ και βγήκαν έξω, στα χιόνια. Το ταξίδι της επιστροφής δεν έμοιαζε διόλου με το ταξίδι ως τη σπηλιά του Φαύνου. Τώρα περπατούσαν κλεφτά, όσο πιο γρήγορα μπορούσαν, δίχως να λένε λέξη, κι ο κύριος Τούμνους την τραβούσε συνέχεια από τις πιο σκοτεινές μεριές. Η Λούσυ ένιωσε μεγάλη ανακούφιση όταν ξανάφτασαν στο φανοστάτη.

«Ξέρεις το δρόμο από δω και κάτω, Κόρη της Εύας;» είπε ο Τούμνους.

Η Λούσυ κοίταξε πολύ προσεχτικά ανάμεσα στα δέντρα, κι ίσα που κατάφερε να ξεχωρίσει, πέρα μακριά, ένα μπαλωματάκι που έφεγγε σαν το φως της μέρας. «Ναι», είπε. «Βλέπω την πόρτα της ντουλάπας».

«Τότε λοιπόν γύρνα πίσω, όσο πιο γρήγορα μπορείς», είπε ο Φαύνος. «Και... θα... θα με συχωρέσεις ποτέ γι' αυτό που σκόπευα να κάνω;».

«Και βέβαια», είπε η Λούσυ και του 'σφιξε φιλικά το χέρι. «Εύχομαι μ' όλη μου την καρδιά να μην μπείτε σε τέτοιο φοβερό μπελά για χάρη μου».

«Έχε γεια λοιπόν, Κόρη της Εύας», είπε. «Μου επιτρέπεις να κρατήσω το μαντίλι σου;».

«Φυσικά!» είπε η Λούσυ, κι άρχισε να τρέχει κατά κείνο το μακρινό μπαλωματάκι που έφεγγε, όσο πιο γρήγορα μπορούσαν να την πάνε τα πόδια της. Και σε λίγο, αντί για τα σκληρά κλαριά που την έγδερναν, ένιωσε γούνινα πανωφόρια, κι αντί για το τριζάτο χιόνι κάτω από τα πόδια της, το ξύλινο σανίδι, κι άξαφνα κατάλαβε πως περνούσε μ' ένα σάλτο την πόρτα της ντουλάπας κι έβγαινε στο αδειανό δωμάτιο, απ' όπου είχε ξεκινήσει όλη η περιπέτεια. Έκλεισε καλά τη ντουλάπα και κοίταξε γύρω λαχανιασμένη. Έβρεχε ακόμα, κι οι φωνές των άλλων ακούγονταν στο διάδρομο.

« Εδώ είμαι!» φώναξε. « Εδώ είμαι! Γύρισα πίσω, είμαι καλά!».

Ο Έντμουντ κι η ντουλάπα

Η Λούσυ βγήκε τρεχάτη στο διάδρομο κι έπεσε πάνω στους άλλους τρεις.

«Είμαι καλά», ξαναφώναξε. «Γύρισα».

«Μύγα σε τσίμπησε;» είπε η Σούζαν.

« Ε;» έκανε η Λούσυ απορημένη. «Κανείς σας δεν αναρωτήθηκε πού ήμουνα;».

«Δηλαδή μας κρύφτηκες;» είπε ο Πήτερ. «Βρε τη φουκαριάρια τη Λου. Κρύφτηκε, κι ούτε που την πήραμε χαμπάρι. Άλλη φορά πάντως να μένεις πιο πολλή ώρα στην κρυψώνα σου, άμα θες να σε ψάχνουμε».

« Αφού έλειπα τόσες ώρες!» διαμαρτυρήθηκε η Λούσυ.

Οι άλλοι κοιτάχτηκαν.

«Πάει, της έστριψε» είπε ο Έντμουντ χτυπώντας με νόημα το κεφάλι του. «Της έστριψε για τα καλά».

«Τι 'ναι πάλι τούτο;» είπε ο Πήτερ.

«Αυτό που σας λέω», απάντησε η Λούσυ. «Μόλις τελειώσαμε το πρωινό μας μπήκα στη ντουλάπα, κι έλειπα ώρες, και ήπια τσάι και μετά γίνανε κι ένα σωρό άλλα».

«Άσε τις ανοησίες», είπε η Σούζαν. «Τώρα δα βγήκαμε όλοι από κει μέσα, εσύ έμεινες λίγο πίσω».

«Μόνο ανόητη δεν είναι», είπε ο Πήτερ. «Έβγαλε μια ιστορία από το νου της για γούστο. Έτσι, Λου; Και στο κάτω κάτω, γιατί όχι;».

«Όχι, Πήτερ», είπε η Λούσυ. «Είναι – είναι μαγική η ντουλάπα. Έχει μέσα ένα δάσος, και χιονίζει, κι έχει ένα Φαύνο και μια Μάγισσα και το λένε Νάρνια· ελάτε να δείτε και μόνοι σας».

Δεν ήξεραν τι να πιστέψουν, όμως η Λούσυ ήταν τόσο αναστατωμένη, κι έτσι όλοι ξαναγύρισαν στο δωμάτιο. Η Λούσυ έτρεξε πρώτη, άνοιξε διάπλατα την πόρτα της ντουλάπας και φώναξε, «Και τώρα, πηγαίνετε να δείτε με τα μάτια σας!».

«Μπουμπούνα» είπε η Σούζαν, που είχε χώσει το κεφάλι της και παραμέριζε τα γούνινα πανωφόρια. «Είναι μια συνηθισμένη ντουλάπα. Να, κοίτα! Να η πλάτη της».

Έσκυψαν όλοι τότε να δουν και τράβηξαν πέρα τις γούνες· κι όλοι τους είδαν – και μαζί και η Λούσυ – μια ντουλάπα σαν όλες τις άλλες. Δεν είχε μήτε δάσος μήτε χιόνι, μόνο την ξύλινη πλάτη με τα κρεμαστάρια. Ο Πήτερ μπήκε και τη χτύπησε με το χέρι του για να βεβαιωθεί πως είναι στέρεη.

«Ωραία πλάκα, Λου», έκανε βγαίνοντας. «Μας την έσκασες, σε παραδέχομαι. Λίγο ακόμα και θα σε πίστευα».

«Μα δεν ήτανε πλάκα», είπε ο Λούσυ, «αλήθεια,

λόγω τιμής. Πριν από μισό λεπτό όλα ήταν αλλιώτικα. Αλήθεια. Τ' ορκίζομαι».

«Άντε, Λου», είπε ο Πήτερ, «μην το παρατραβάς. Το αστείο σου το 'κανες, πιο καλά να σταματήσεις τώρα».

Η Λούσυ φούντωσε σα μπατζάρι και κάτι έκανε να πει, κι ας μην ήξερε καλά καλά τι. Κι έβαλε τα κλάματα.

Τις επόμενες μέρες είχε τα χάλια της. Βέβαια, θα μπορούσε να φιλιώσει με τους άλλους όποια στιγμή ήθελε, φτάνει να 'σφιγγε την καρδιά της και να τους έλεγε πως όλη αυτή την ιστορία την έβγαλε από το νου της για γούστο. Όμως η Λούσυ ήταν από τα παιδιά που λένε πάντα αλήθεια, κι ήξερε πως το δίκιο είναι με το μέρος της· δεν της πήγαινε λοιπόν να τους πει άλλα των άλλων. Και τ' αδέρφια της, που νόμιζαν πως λέει ψέματα, και μάλιστα πολύ κουτά ψέματα, της έκαναν τη ζωή μαύρη. Οι δυο μεγάλοι χωρίς να το καταλαβαίνουν, μα ο Έντμουντ, που όταν ήθελε, μπορούσε να γίνει πολύ κακός, ετούτη τη φορά της έδωσε και κατάλαβε. Δεν την άφηνε σε χλωρό κλαρί από την καζούρα, κι όλη την ώρα τη ρωτούσε μπας κι ανακάλυψε τίποτα καινούριες χώρες στα ντουλάπια του σπιτιού. Το χειρότερο ήταν όμως ότι, κανονικά, αυτές οι μέρες θα περνούσαν ονειρεμένα. Ο καιρός ήταν υπέροχος, έπαιζαν έξω από το πρωί ως το βράδυ, καλυμπούσαν, ψάρευαν στο ποταμάκι, σκαρφάλωναν στα δέντρα, κυλιόντουσαν στα ρείκια. Μόνο η Λούσυ δεν είχε καρδιά για τίποτα. Κι έτσι συνέχισαν τα πράγματα, ως την επόμενη βροχερή μέρα.

Ήταν απόγευμα πια, κι ο καιρός δεν έλεγε ν' ανοίξει, γι' αυτό αποφάσισαν να παίξουν κρυφτό. Τα φύλαγε η Σούζαν, και μόλις οι άλλοι σκόρπισαν για να κρυφτούν, η Λούσυ τρύπωσε πάλι στο δωμάτιο με τη ντουλάπα. Όχι για να κρυφτεί, γιατί ήξερε πως τ' αδέρφια της θα 'βρισκαν αφορμή για ιστορίες· ήθελε μόνο να ξαναρίξει μια ματιά, γιατί είχε αρχίσει πια κι αυτή ν' αμφιβάλλει – κόντευε μάλιστα να πιστέψει πως ονειρεύτηκε, και τη Νάρνια και το Φαύνο. Το σπίτι ήταν μεγάλο, σωστός λαβύρινθος, γεμάτο κρυ-ψώνες, κι έτσι σκέφτηκε πως θα πρόφταινε να κοιτά-ξει στη ντουλάπα κι έπειτα να κρυφτεί αλλού. Πάνω που την πλησίαζε όμως, άκουσε βήματα στο διά-

δρομο· δεν της έμενε τίποτ' άλλο: έδωσε μια, χώθηκε στη ντουλάπα κι έγειρε την πόρτα. Φυσικά, δεν την έκλεισε καλά, γιατί ήξερε πως είναι μεγάλη κουτα-μάρα να κλείνεσαι σε ντουλάπες – μαγικές-ξεμαγικές, το ίδιο κάνει.

Τα βήματα που είχε ακούσει ήταν του Έντμουντ· και το αγόρι μπήκε στο δωμάτιο ίσα ίσα τη στιγμή που η φούστα της Λούσυ εξαφανιζόταν στη ντου-λάπα. Αποφάσισε λοιπόν να την ακολουθήσει – όχι πως του φαινότανε σπουδαία κρυψώνα, μα ήθελε να την πειράξει πάλι για τη φανταστική της χώρα. Άνοιξε την πόρτα, κι είδε τα πανωφόρια κρεμασμένα στη θέση τους· μύριζε ναφθαλίνη κι ήταν ήσυχα και σκοτεινά. Η Λούσυ είχε γίνει άφαντη. «Θα νομίζει πως είμαι η Σούζαν», είπε μέσα του. «Γι' αυτό ζάρωσε πίσω πίσω και δε σαλεύει». Μπήκε λοιπόν κι εκείνος, κι έκλεισε την πόρτα, ξεχνώντας πόσο μεγάλη κουταμάρα είναι αυτό, κι άρχισε να ψαχουλεύει στα σκοτεινά για να την πιάσει. Περίμενε να την αγγίξει από στιγμή σε στιγμή, και πολύ του παραξενοφάνηκε που

δεν τα κατάφερε. Τότε αποφάσισε να ξανανοίξει την πόρτα, για να μπει λίγο φως. Μα ούτε την πόρτα μπορούσε να βρει. Τώρα πια η ιστορία δεν του άρεσε καθόλου μα καθόλου. Ψαχούλευε απελπισμένα δεξιά κι αριστερά, και σε λίγο άρχισε να φωνάζει: «Λούσυ! Λου! Πού είσαι; Φανερώσου, το ξέρω πως είσαι εδώ!».

Δεν πήρε απάντηση· και μόνο εκείνη τη στιγμή πρόσεξε πως η φωνή του αντηχούσε παράξενα – όχι όπως την ακούς μέσα σε ντουλάπι, αλλά σα να φωνάζεις στο ύπαιθρο. Πρόσεξε ακόμα πως έκανε τρομερό κρύο· και τότε είδε το φωτάκι.

«Δόξα το Θεό!» είπε ο Έντμουντ. «Η πόρτα πρέπει ν' άνοιξε μόνη της». Ξέχασε λοιπόν τη Λούσυ και προχώρησε κατά το φως, νομίζοντας πως είναι η ανοιγμένη πόρτα της ντουλάπας. Αντί όμως να βρεθεί ξανά στο αδειανό δωμάτιο, κατάλαβε πως έβγαινε από τη σκιά κάτι πυκνών και σκοτεινών έλατων σ' ένα ξέφωτο, στην καρδιά του δάσους.

Κάτω απ' τα πόδια του είχε στεγνό, τριζάτο χιόνι, κι ένα σωρό ακόμα στα κλαδιά των δέντρων. Ψηλά φαινόταν ο ουρανός, αχνογάλαζος – σαν τον ουρανό που βλέπεις όταν ξημερώνει ξάστερη χειμωνιάτικη μέρα. Ίσια μπροστά του, ανάμεσα στους κορμούς των δέντρων, φάνηκε ν' ανατέλλει ο ήλιος, κατακόκκινος και καθαρός. Παντού απόλυτη σιγαλιά, λες κι ο Έντμουντ ήτανε το μόνο ζωντανό πλάσμα σε κείνο τον τόπο. Δεν είχε μήτε κοκκινολαίμηδες μήτε σκιουράκια στα δέντρα, και το δάσος έμοιαζε ν' απλώνεται ως εκεί που έφτανε το μάτι του. Ανατρίχιασε.

Και τότε θυμήθηκε πως γύρευε τη Λούσυ. Θυμήθηκε ακόμα πόσο την είχε αποπάρει για τη «φανταστική» της χώρα, που τώρα μόνο φανταστική δεν είχε αποδειχτεί. «Δεν πρέπει να πήγε μακριά», είπε μέσα του και φώναξε, «Έι! Λούσυ! Λούσυ! Είμαι κι εγώ εδώ – ο Έντμουντ!».

Απάντηση καμιά.

«Πρέπει να μου 'χει θυμώσει που την πείραζα τις προάλλες», σκέφτηκε ο Έντμουντ. Κι όσο κι αν του 'πεφτε βαρύ να παραδεχτεί πως έφταιξε, δεν το καλόβλεπε και πάλι να μείνει μοναχός του σε κείνο τον κρύο και σιωπηλό τόπο· κι έτσι ξαναφώναξε.

«Λούσυ, μ' ακούς; Με συγχωρείς που δε σε πίστευα.

35

Τώρα βλέπω ότι είχες δίκιο! Βγες από κει που κρύβεσαι! Έλα να φιλιώσουμε!».

Και πάλι καμιά απάντηση.

«Τι περιμένεις, κορίτσι δεν είναι;» είπε μέσα του ο Έντμουντ. «Μου κάνει μούτρα και δεν καταδέχεται μήτε τη συγνώμη μου». Κοίταξε πάλι γύρω του κι αποφάσισε πως το μέρος εκείνο δεν του πολυάρεσε· και πάνω που έλεγε να γυρίσει πίσω, άκουσε πέρα μακριά, στο δάσος, να χτυπάνε κουδουνάκια. Αφουγκράστηκε. Ο ήχος πλησίαζε ολοένα, ώσπου ξάφνου είδε να ξεπροβάλλει στο φως ένα έλκηθρο που το σέρναν δυο τάρανδοι.

Οι τάρανδοι ήτανε στο μπόι σα μικρά αλογάκια, κι η τρίχα τους κάτασπρη, μπροστά της ως και το χιόνι έμοιαζε χλωμό· τα κλαδωτά τους κέρατα, χρυσωμένα, άστραψαν σα φωτιά μόλις έπεσε πάνω τους ο ήλιος. Είχανε χάμουρα από δέρμα καταπόρφυρο, σκεπασμένο με κουδουνάκια. Πάνω στο έλκηθρο, θρονιασμένος στη θέση του οδηγού, καθόταν ένας χοντρός νάνος, όρθιος δε θα 'φτανε μήτ' ένα μέτρο μπόι. Φορούσε γούνα πολικής αρκούδας, και στο κεφάλι είχε κόκκινη κουκούλα με μακριά χρυσή φούντα που κρεμόταν από τη μύτη της· η πελώρια γενειάδα του έφτανε ως τα γόνατα και τον σκέπαζε σαν κουβέρτα. Πίσω του όμως, σ' ένα πιο ψηλό κάθισμα στη μέση του έλκηθρου, καθόταν ένα αλλιώτικο πλάσμα – μια μεγάλη κυρία, πιο ψηλή απ' όλες τις γυναίκες που είχε δει ποτέ του ο Έντμουντ. Ήταν και κείνη ντυμένη με άσπρα γουναρικά ως το λαιμό· στο δεξί της χέρι κρατούσε σκήπτρο ολόχρυσο, κι είχε χρυσή κορώνα στο κεφάλι. Το πρόσωπό της ήταν άσπρο – όχι χλωμό, μα κάτασπρο σαν το χιόνι ή το χαρτί ή τη ζάχαρη, μόνο που είχε κατακόκκινο στόμα. Κατά τα άλλα, ήταν

πολύ ωραίο πρόσωπο, όμως περήφανο και κρύο και αυστηρό.

Του Έντμουντ του φάνηκε μαγευτικό το θέαμα – το έλκηθρο που τον πλησίαζε γρήγορο κι ελαφρύ, τινάζοντας το χιόνι δεξιά κι αριστερά, με τα κουδουνάκια να χτυπάνε και το νάνο να κροταλίζει το καμουτσίκι του.

«Στάσου!» είπε η Κυρία, και ο νάνος τράβηξε τόσο απότομα τα γκέμια, που οι τάρανδοι κόντεψαν να κάτσουν κάτω. Αμέσως όμως ξαναβρήκαν την ισορροπία τους, και στάθηκαν μασουλίζοντας τα λουριά και ξεφυσώντας. Μέσα στον παγωμένο αέρα, η ανάσα που έβγαινε απ' τα ρουθούνια τους έμοιαζε με καπνό.

«Και τι είσαι συ, παρακαλώ;» είπε η Κυρία καρφώνοντας με τα μάτια της τον Έντμουντ.

« Ε... εγώ – εμένα – εμένα με λένε Έντμουντ», είπε σαστισμένο το αγόρι. Διόλου δεν του άρεσε ο τρόπος που τον κοιτούσε.

Η Κυρία κακοφανίστηκε. «Με τέτοιο τρόπο μιλάνε σε Βασίλισσα;» ρώτησε, και του Έντμουντ του φάνηκε πιο αυστηρή από πριν.

«Να με συμπαθάτε, Μεγαλειοτάτη, μα δεν το ήξερα», είπε ο Έντμουντ.

«Δεν ξέρεις τη Βασίλισσα της Νάρνια;».

« Αχά! Τώρα θα με μάθεις καλύτερα! Λοιπόν, για τελευταία φορά: Τι είσαι;».

«Σας παρακαλώ, Μεγαλειοτάτη», είπε ο Έντμουντ, «δεν καταλαβαίνω τι εννοείτε. Εγώ πάω σχολείο – δηλαδή, πήγαινα. Τώρα έχουμε διακοπές».

KΕΦΑΛΑΙΟ ΤΕΤΑΡΤΟ

Λουκούμια

«Μα τέλος πάντων, τι *είσαι;*» ξαναείπε η Βασίλισσα. «Μήπως είσαι, ας πούμε, παραμεγαλωμένος νάνος που έκοψε τη γενειάδα του;».

«Όχι, Μεγαλειοτάτη», είπε ο Έντμουντ. « Εγώ δεν είχα ποτέ μου γένια. Είμαι αγοράκι».

« Αγοράκι! Θες να πεις πως είσαι Γιος του Αδάμ;».

Ο Έντμουντ δε σάλεψε ούτε μίλησε. Εκείνη τη στιγμή ήτανε τόσο μπερδεμένος, που δεν μπορούσε να καταλάβει τι σημαίνει η ερώτηση.

«Το μόνο σίγουρο», είπε η Βασίλισσα, «είναι πως, πριν απ' όλα, είσαι ηλίθιος. Λοιπόν, απάντησέ μου μια κι έξω, γιατί αλλιώτικα θα χάσω την υπομονή μου. Είσαι άνθρωπος;».

«Μάλιστα, Μεγαλειοτάτη», είπε ο Έντμουντ.

«Και πώς έγινε και βρέθηκες στην επικράτειά μου, παρακαλώ;».

«Με συμπαθάτε, Μεγαλειοτάτη, μπήκα από μια ντουλάπα».

«Ντουλάπα; Τι θα πει ντουλάπα;».

«Να – άνοιξα την πόρτα και βρέθηκα εδώ, Μεγαλειοτάτη!» είπε ο Έντμουντ.

« Αχά!» έκανε η Βασίλισσα, μιλώντας πιο πολύ στον εαυτό της παρά στο παιδί. «Μια πόρτα, λοιπόν! Μια πόρτα από τον κόσμο των ανθρώπων! Το είχα ακουστά πως υπάρχει κάτι τέτοιο. Αυτό μπορεί να μου τα χαλάσει όλα. Ευτυχώς που είναι μόνο ένας, θα τα βγάλω πέρα εύκολα μαζί του». Και με τούτα τα λόγια, σηκώθηκε, κοίταξε τον Έντμουντ με μάτια που πετούσαν φωτιές και σήκωσε το σκήπτρο της. Ο Έντμουντ ήταν σίγουρος πως κάτι τρομερό θα γίνει, μα δεν μπορούσε να σαλέψει ούτε τοσοδά. Και πάνω που έλεγε πως πάει χαμένος, η βασίλισσα φάνηκε να το μετανιώνει.

«Καημένο μου παιδί!» είπε με αλλιώτικη φωνή. «Φαίνεσαι ξεπαγιασμένο! Έλα, κάθισε δίπλα μου εδώ στο έλκηθρο, κι εγώ θα σε σκεπάσω με το μανδύα μου όσο θα τα κουβεντιάζουμε».

Του Έντμουντ, για να λέμε την αλήθεια, διόλου δεν του άρεσε αυτό το σχέδιο, μα δεν τόλμησε να παρακούσει· σκαρφάλωσε λοιπόν στο έλκηθρο και κάθισε στα πόδια της, και κείνη τον τύλιξε σε μια πτυχή του γούνινου μανδύα της και τον βόλεψε ζεστά ζεστά.

«Μήπως θέλεις να πιεις τίποτα;» είπε. «Τι λες;».

«Ναι, Μεγαλειοτάτη, παρακαλώ», είπε ο Έντμουντ, και ένιωσε τα δόντια του να χτυπάνε.

Κάπου μέσα από τα σκεπάσματά της, η Βασίλισσα ξετρύπωσε ένα μικρό μπουκαλάκι που έμοιαζε σαν μπρούντζινο. Άπλωσε έπειτα το χέρι κι έσταξε μια σταγόνα στο χιόνι, πλάι στο έλκηθρο. Ο Έντμουντ είδε για μια στιγμή τη σταγόνα μετέωρη στον αέρα, ν' αστράφτει σα διαμάντι. Όμως τη στιγμή που άγγιξε το χιόνι, κάτι ακούστηκε να τσιτσιρίζει, και νάσου ένα κύπελλο όλο πετράδια! Ήταν γεμάτο με κάτι που άχνιζε. Ο νάνος το πήρε και το 'δωσε στον Έντμουντ, υποκλίθηκε βαθιά και χαμογέλασε· αλλά δεν ήταν διόλου φιλικό τούτο το χαμόγελο. Ο Έντμουντ ένιωσε να συνέρχεται ρουφώντας το μαγικό ποτό. Πρώτη φορά στη ζωή του δοκίμαζε τέτοιο πράμα·

ήταν γλυκό κι αφριστό και πηχτό σαν κρέμα, και τον ζέστανε από την κορφή ως τα νύχια.

«Δεν έχει όμως γούστο, Γιε του Αδάμ, να πίνεις νηστικός», είπε η Βασίλισσα. «Τι τραβάει η όρεξή σου;».

«Λουκούμια, παρακαλώ, Μεγαλειοτάτη», είπε ο Έντμουντ. Η Βασίλισσα έσταξε κι άλλη μια σταγόνα από το μπουκαλάκι της στο χιόνι, και στη στιγμή ξεφύτρωσε ένα στρογγυλό κουτί, δεμένο με πράσινη μεταξωτή κορδέλα που, όταν το άνοιξε, αποδείχτηκε πως είχε μέσα κάμποσα κιλά διαλεχτά λουκούμια. Κάθε λουκούμι ήταν γλυκό και μαλακό ως την καρδιά, κι ο Έντμουντ πρώτη φορά γευόταν τέτοια λιχουδιά. Τώρα πια είχε ζεστοκοπηθεί μια χαρά κι ένιωθε σα στο σπίτι του.

Όσο έτρωγε, η Βασίλισσα του έκανε ένα σωρό ερωτήσεις. Στην αρχή ο Έντμουντ προσπάθησε να θυμηθεί πως είναι ανάγωγο να μιλάς με γεμάτο στόμα, αλλά γρήγορα ξεχάστηκε και κοίταγε μόνο να μπουκώσει όσο πιο πολλά λουκούμια μπορούσε· μα όσο πιο πολλά έτρωγε, τόσο πιο πολλά ήθελε, και μήτε που αναρωτήθηκε γιατί έδειχνε τέτοια περιέργεια η Βασίλισσα. Έτσι τον έβαλε να της τα πει όλα: πως έχει έναν αδερφό και δύο αδερφές, και πως η μια του αδερφή είχε ξαναπάει στη Νάρνια κι είχε βρει ένα Φαύνο, και πως κανείς άλλος, εκτός από τον ίδιο και τ' αδέρφια του, δεν ήξερε για τη Νάρνια. Η Βασίλισσα φάνηκε να ενδιαφέρεται πιο πολύ για το γεγονός ότι ήταν τέσσερις, και κάθε λίγο σ' αυτό ξανάφερνε την κουβέντα. «Είσαι σίγουρος πως είσαστε τέσσερις;» ρωτούσε και ξαναρωτούσε. «Δύο Γιοι του Αδάμ και δύο Κόρες της Εύας; Ούτε περισσότεροι ούτε λιγότεροι;» και ο Έντμουντ, με το στόμα μπουκωμένο λουκούμια έλεγε και ξανάλεγε. «Μα αφού σας το είπα και πριν», κι όλο ξέχναγε να την πει «Μεγαλειοτάτη», αλλά τώρα πια η Βασίλισσα δεν έδειχνε να πολυσκοτίζεται.

Καμιά φορά τελείωσαν όλα τα λουκούμια. Ο Έντμουντ κοιτούσε το κουτί με λαχτάρα, και μέσα του παρακάλαγε να τον ρωτήσει αν θέλει κι άλλα. Φυσικά, η Βασίλισσα ήξερε πολύ καλά τι σκέφτεται το παιδί· ήξερε ακόμα, κι ας μην είχε ιδέα ο Έντμουντ, πως τα λουκούμια ήταν μαγικά, κι αν τα δοκίμαζες μια φορά μονάχα, ήθελες όλο και περισσότερα, κι αν σ' άφηναν μπορούσες να τρως ώσπου να σκάσεις. Δεν του 'δωσε όμως άλλα, κι είπε μονάχα.

«Γιε του Αδάμ, θα ήθελα πολύ να γνωρίσω τ' αδέρφια σου. Θα μου τους φέρεις να τους δω;».

«Θα προσπαθήσω», απάντησε ο Έντμουντ, κοιτάζοντας ακόμα τ' αδειανό κουτί.

«Γιατί βέβαια, αν ξαναρθείς – κι αν φυσικά φέρεις και τους άλλους – θα σου δώσω πολλά λουκούμια. Τώρα δεν μπορώ, τα μάγια πιάνουν μόνο μια φορά. Όμως, στο σπίτι μου, το πράγμα αλλάζει».

«Και δεν πάμε τώρα στο σπίτι σας;» είπε ο Έντμουντ. Όταν πρωτομπήκε στο έλκηθρο, έτρεμε μήπως φύγουν για κανέναν άγνωστο τόπο και δεν μπορέσει να γυρίσει πίσω, όμως είχε ξεχάσει πια εντελώς το φόβο του.

«Είναι πολύ όμορφο το σπίτι μου», είπε η Βασίλισσα. «Να δεις που θα σου αρέσει. Έχει ολόκληρα δωμάτια γεμάτα λουκούμια και – το σπουδαιότερο – εγώ δεν έχω δικά μου παιδιά. Θα ήθελα πολύ ένα καλό αγοράκι για να το κάνω Πρίγκιπα, κι αργότερα που θα φύγω να γίνει Βασιλιάς της Νάρνια. Και, όσο είναι Πρίγκιπας, θα φοράει χρυσή κορώνα και θα τρώει όλη μέρα λουκούμια· ε λοιπόν, εσύ είσαι το πιο έξυπνο κι όμορφο παλικαράκι που είδα ποτέ μου. Θαρρώ πως θα μου άρεσε να σε κάνω Πρίγκιπα – κάποια μέρα, όταν μου φέρεις και τους άλλους».

«Δε γίνεται τώρα;» είπε ο Έντμουντ. Είχε αναψοκοκκινίσει, το στόμα και τα δάχτυλά του κολλούσαν, και δε φαινόταν μήτε έξυπνος, μήτε όμορφος, κι ας έλεγε η Βασίλισσα.

«Ναι, μα αν σε πάρω τώρα», απάντησε, «δε θα δω τ' αδέρφια σου. Και θέλω πολύ να γνωρίσω τους χαριτωμένους συγγενείς σου. Μην ξεχνάς, σε λίγο θα γίνεις Πρίγκιπας – κι αργότερα Βασιλιάς· αυτό είναι σίγουρο. Θα πρέπει να έχεις αυλικούς και ευγενείς. Γι' αυτό λοιπόν, θα κάνω τον αδερφό σου δούκα και τις αδερφές σου δούκισσες».

«Μα εκείνοι δεν έχουν τίποτα ιδιαίτερο», είπε ο Έντμουντ, «και, τέλος πάντων, τους φέρνω καμιά άλλη φορά».

«Ναι, αλλά όταν βρεθείς στο σπίτι μου μπορεί να τους ξεχάσεις», είπε η Βασίλισσα. «Θα περνάς τόσο καλά, που θα βαριέσαι να πας να τους φέρεις. Λοιπόν, γύρνα τώρα στη χώρα σου, και να ξανάρθεις άλλη μέρα, *μαζί τους*, κατάλαβες; Να μην ξανάρθεις αν δεν τους φέρεις».

«Μα εγώ ούτε που ξέρω πώς να γυρίσω στη χώρα μου», κλαψούρισε ο Έντμουντ.

«Πολύ εύκολο», είπε η Βασίλισσα. «Βλέπεις εκείνο το φανάρι;». Του 'δειξε με το σκήπτρο της, κι ο Έντμουντ γύρισε και είδε τον ίδιο εκείνο φανοστάτη όπου είχε ανταμώσει το Φαύνο η Λούσυ. «Ίσια πέρα από κει, είναι ο δρόμος για τον Κόσμο των Ανθρώπων. Και τώρα κοίτα από την άλλη μεριά» – κι έδειξε στην αντίθετη κατεύθυνση – «και πες μου αν ξεχωρίζεις δυο μικρά λοφάκια που ορθώνονται πάνω απ' τα δέντρα».

«Μάλλον ναι», είπε ο Έντμουντ.

«Ωραία. Λοιπόν, το σπίτι μου είναι ανάμεσα σε κείνους τους λόφους. Έτσι, την άλλη φορά που θα 'ρθεις, βρες πρώτα το φανοστάτη, κι έπειτα κοίτα κατά πού πέφτουν οι λόφοι. Μόλις περάσεις το δάσος, θα βγεις στο σπίτι μου. Και μην ξεχνάς, μπορεί να θυμώσω πολύ αν έρθεις μόνος σου».

«Θα προσπαθήσω», είπε ο Έντμουντ.

« Α, καλά που το θυμήθηκα», είπε η Βασίλισσα. «Δε χρειάζεται να τους μιλήσεις για μένα. Θα 'χει γούστο αν το κρατήσουμε μυστικό, τι λες; Θα τους κάνουμε έκπληξη. Όλο κι όλο που θέλω από σένα, είναι να τους φέρεις στους δύο λόφους – σαν έξυπνο παιδί που είσαι, εύκολα θα βρεις μια δικαιολογία. Και όταν φτάσετε στο σπίτι μου, πες μόνο, "Για να δούμε ποιος μένει εδώ", ή κάτι τέτοιο. Είμαι σίγουρη πως έτσι θα 'ναι πιο καλά. Αφού η αδερφή σου συνάντησε το Φαύνο, μπορεί ν' άκουσε παράξενες ιστορίες για μένα – άσχημες ιστορίες, που ίσως την κάνουν να φοβάται να με συναντήσει. Ξέρεις, οι Φαύνοι λένε ό,τι τους κατέβει. Και τώρα –».

« Αχ, σας παρακαλώ» είπε ξαφνικά ο Έντμουντ, «σας χιλιοπαρακαλώ, δώστε μου ένα λουκουμάκι ακόμα για το δρόμο».

« Αποκλείεται», είπε η Βασίλισσα και γέλασε. «Πρέπει να περιμένεις ως την άλλη φορά». Και με τα λόγια αυτά, έγνεψε του νάνου να ξεκινήσει. Την ώρα που το έλκηθρο χανόταν από τα μάτια του, η Βασίλισσα του κούνησε το χέρι και ξαναφώναξε: «Την άλλη φορά! Κι όπως είπαμε! Μην το ξεχάσεις. Να 'ρθεις γρήγορα!».

Ο Έντμουντ είχε απομείνει με τα μάτια στυλωμένα στο σημείο όπου χάθηκε το έλκηθρο, όταν άκουσε κάποιον να τον φωνάζει. Γύρισε και είδε τη Λούσυ που ερχόταν από την άλλη άκρη του δάσους.

« Αχ, Έντμουντ!» φώναξε. «Μπήκες και συ! Μα είναι θαύμα, και τώρα –».

«Καλά ντε, σύμφωνοι, είχες δίκιο κι η ντουλάπα είναι στ' αλήθεια μαγική», είπε ο Έντμουντ. « Άμα θες, να σου ζητήσω και συγνώμη. Πού γύριζες όμως τόση ώρα; Έφαγα τον κόσμο να σε γυρεύω».

« Αν ήξερα πως είχες μπει, θα σε περίμενα», είπε η Λούσυ. Ήτανε τόσο ευτυχισμένη και χαρούμενη, που δεν πρόσεξε πόσο απότομα της απαντούσε ο Έντμουντ, μήτε πόσο κόκκινο και παράξενο φαινόταν το πρόσωπό του. «Μου έκανε το τραπέζι ο χρυσός μου ο κύριος Τούμνους, ο Φαύνος, και είναι μια χαρά κι η Λευκή Μάγισσα ούτε που τον πείραξε που μ' άφησε να φύγω, και λέει πως μάλλον δε θα το 'μαθε κι ίσως τελικά να μην έχει τραβήγματα».

« Η Λευκή Μάγισσα;» έκανε ο Έντμουντ. «Ποια είναι αυτή;».

«Είναι φοβερή και τρομερή», είπε η Λούσυ, «και παρασταίνει τη Βασίλισσα της Νάρνια, αλλά δεν έχει δικαίωμα να γίνει Βασίλισσα, κι όλοι οι Φαύνοι και οι Δρυάδες και οι Ναϊάδες και οι Νάνοι και τα Ζώα – δηλαδή, οι καλοί τουλάχιστον – τη μισούν. Και μπορεί να κάνει τους ανθρώπους πέτρα κι ένα σωρό άλλα φοβερά, κι από τα μάγια της είναι πάντα χειμώνας στη Νάρνια – πάντα χειμώνας, αλλά ποτέ δεν έρχονται Χριστούγεννα. Και γυρνάει μ' ένα έλκηθρο που το σέρνουν τάρανδοι, με το σκήπτρο στο χέρι και κορώνα στο κεφάλι».

Ο Έντμουντ είχε αρχίσει κιόλας να νιώθει απαίσια απ' τα γλυκά που έφαγε, κι όταν άκουσε πως η Κυρία που συνάντησε και πιάσανε φιλίες ήταν μια μάγισσα κακιά κι επικίνδυνη, έγινε ακόμα πιο χάλια. Ωστόσο, ακόμα και τώρα, πιο πολύ απ' οτιδήποτε άλλο, ήθελε να ξαναδοκιμάσει τα λουκούμια της.

«Και ποιος σου τις είπε εσένα αυτές τις ιστορίες για τη Λευκή Μάγισσα;» ρώτησε.

« Ο κύριος Τούμνους, ο Φαύνος», είπε η Λούσυ.

«Κανένας δεν τους παίρνει στα σοβαρά τους Φαύνους», είπε ο Έντμουντ, παρασταίνοντας τον καμπόσο.

«Πού το ξέρεις εσύ;» είπε η Λούσυ.

«Αυτό το ξέρουνε κι οι κότες», έκανε ο Έντμουντ. «Ρώτα όποιον θες. Πάντως, για να σου πω, δεν είναι και κανένα κατόρθωμα να στεκόμαστε έτσι στα χιόνια. Πάμε σπίτι».

«Πάμε», είπε η Λούσυ. « Αχ Έντμουντ, να 'ξερες πόσο χαίρομαι που μπήκες και συ. Τώρα κι οι άλλοι θα πιστέψουν στη Νάρνια, αφού μπήκαμε κι οι δυο μας. Θα κάνουμε μεγάλο γλέντι».

Μέσα του όμως, ο Έντμουντ λογάριασε πως δε θα διασκέδαζε το ίδιο με τη Λούσυ, γιατί θα 'πρεπε να παραδεχτεί μπροστά σε όλους πως η αδερφή του είχε δίκιο, κι ήτανε σίγουρος πως οι άλλοι θα πήγαιναν με το μέρος των Φαύνων και των ζώων, ενώ εκείνος είχε αρχίσει κιόλας να συμπαθεί τη Μάγισσα. Δε θα 'ξερε λοιπόν τι να τους πει και πώς να κρατήσει το μυστικό του, όταν πια όλοι θα μιλούσαν για τη Νάρνια.

Ο δρόμος του γυρισμού τους φάνηκε μακρύς – όσο που, άξαφνα, ένιωσαν γύρω τους γούνες αντί για κλαδιά, και την άλλη στιγμή βρισκόντουσαν έξω από τη ντουλάπα, στο αδειανό δωμάτιο.

«Χάλια που έχεις!» είπε η Λούσυ. «Δε νιώθεις καλά;».

« Εγώ; Μια χαρά είμαι!» είπε ο Έντμουντ, αλλά δεν ήταν αλήθεια. Ένιωθε ζάλη κι ανακατωσούρα.

«Έλα τότε», είπε η Λούσυ, «πάμε να βρούμε τους άλλους. Έχουμε να τους πούμε τόσα πράγματα! Και τι περιπέτειες μας περιμένουν τώρα όλους μαζί!».

Πάλι στην «αποδώ» μεριά της ντουλάπας

Το κρυφτό συνεχιζόταν, κι ο Έντμουντ με τη Λούσυ έκαναν κάμποση ώρα να βρουν τους άλλους. Όταν μαζεύτηκαν καμιά φορά σε κείνη τη μακρόστενη αίθουσα με την πανοπλία, η Λούσυ δεν κρατήθηκε άλλο:

«Πήτερ! Σούζαν! Είναι αλήθεια! Το 'δε κι ο Έντμουντ με τα μάτια του. Η χώρα πίσω απ' τη ντουλάπα *υπάρχει*. Μπήκαμε κι οι δυο μας και συναντηθήκαμε στο δάσος. Άντε Έντμουντ, πες τους τα και συ!».

«Τι έγινε Έντμουντ;» είπε ο Πήτερ.

Και τώρα φτάνουμε σ' ένα απ' τα πιο δυσάρεστα σημεία της ιστορίας μας. Ως εδώ, ο Έντμουντ ένιωθε ανακατωσούρα και κακοκεφιά· ήταν και τσαντισμένος που η Λούσυ δικαιώθηκε – αλλά δεν είχε σκεφτεί ακόμα τι θα κάνει. Κι άξαφνα τώρα, μόλις τον ρώτησε ο Πήτερ, αποφάσισε να κάνει το πιο κακό κι ανάποδο πράγμα που μπορούσε να σκεφτεί: Να προδώσει τη Λούσυ.

«Λέγε, Εντ», είπε η Σούζαν.

Ο Έντμουντ λοιπόν κορδώθηκε λες κι ήταν κάμποσα χρονάκια μεγαλύτερος από τη Λούσυ (στην πραγματικότητα είχαν μονάχα ένα χρόνο διαφορά), χαμογέλασε πονηρά και είπε, « Α, βέβαια, παίζαμε με τη Λούσυ – κάναμε πως όλη αυτή η ιστορία με τη χώρα της ντουλάπας είναι αληθινή. Στα ψέματα βέβαια, γιατί στ' αλήθεια δεν υπάρχει τίποτα».

Η καημένη η Λούσυ έριξε του Έντμουντ μια φοβερή ματιά και βγήκε σα σίφουνας από το δωμάτιο.

Ο Έντμουντ όμως, που κάθε λεπτό γινόταν και πιο στριμμένος, σίγουρος πως τα κατάφερε περίφημα, συνέχισε, «Πάλι τα ίδια! Μα τι την έπιασε; Αυτό είναι το κακό με τα πιτσιρίκια. Όλο – ».

«Για να σου πω», έκανε άγρια ο Πήτερ. «Κόφτ' το! Φέρεσαι απαίσια στη Λούσυ από τότε που άρχισε εκείνη την ανοησία με τη ντουλάπα, και τώρα της σκαρώνεις πλάκες για να την κουρδίζεις. Είμαι σίγουρος πως το κάνεις επίτηδες».

«Μα είναι κουταμάρες», είπε ο Έντμουντ μουδιασμένα.

«Και βέβαια κουταμάρες είναι», είπε ο Πήτερ. «Αυτό λέω και γω. Η Λου ήτανε μια χαρά όταν φύγαμε από το σπίτι, μα από τότε που ήρθαμε εδώ φαίνεται πως είτε της έστριψε, ή έγινε η πιο τρομερή ψεύτρα του κόσμου. Ό,τι από τα δύο κι αν συμβαίνει, δεν κάνεις καθόλου καλά να την πειράζεις και να την κοροϊδεύεις τη μια μέρα, και να την ενθαρρύνεις την άλλη».

«Μα εγώ νόμιζα – νόμιζα», είπε ο Έντμουντ · αλλά δεν του 'ρχότανε τίποτα να πει.

«Δε νόμιζες τίποτα», είπε ο Πήτερ· «το κάνεις από κακία. Πάντα σ' αρέσει να φέρεσαι απαίσια στους μικρότερούς σου· τα είδαμε και στο σχολείο τα κατορθώματά σου».

«Άστονε», είπε η Σούζαν· «δεν αλλάζει τίποτα και να τσακωθείτε. Πάμε να βρούμε τη Λούσυ».

Όταν την βρήκαν, κάμποση ώρα αργότερα, δεν τους φάνηκε διόλου παράξενο που την είδαν κλαμένη. Ό,τι και να της έλεγαν, δεν έμοιαζε να την ενδιαφέρει. Εκείνη επέμενε πεισματικά στην ιστορία της κι έλεγε, «Ούτε που με νοιάζει τι πιστεύετε και τι λέτε. Πέστε το στον καθηγητή, γράψτε το στη μαμά, κάντε ό,τι σας αρέσει. Εγώ το ξέρω πως βρήκα το Φαύνο εκειπέρα και – μακάρι να 'μενα εκεί για πάντα, είσαστε τέρατα όλοι σας! Τέρατα!».

Ήταν η χειρότερή τους βραδιά. Η Λούσυ είχε τα χάλια της και ο Έντμουντ το ίδιο, γιατί καταλάβαινε πως το σχέδιό του δεν έπιασε όπως περίμενε. Οι δυο μεγάλοι είχαν αρχίσει πια να πιστεύουν για καλά ότι η Λούσυ τρελάθηκε. Μείνανε μάλιστα στο διάδρομο και τα κουβέντιασαν ψιθυριστά όταν η Λούσυ πήγε να πλαγιάσει.

Το αποτέλεσμα ήταν πως, το άλλο πρωί, αποφάσισαν να πάνε και να πουν όλη την ιστορία στον καθηγητή. « Εκείνος θα γράψει του πατέρα αν πιστεύει πως στ' αλήθεια κάτι δεν πάει καλά με τη Λούσυ», είπε ο Πήτερ· «εμείς δε μπορούμε να κάνουμε τίποτ' άλλο». Πήγαν λοιπόν και χτύπησαν την πόρτα του γραφείου, κι ο καθηγητής φώναξε « Ελάτε», και σηκώθηκε και τους έφερε καρέκλες και τους είπε πως είναι στη διάθεσή τους. Κάθισε μετά και τους άκουσε με τα χέρια του πλεγμένα σφιχτά, και δεν τους έκοψε ούτε μία φορά, όσο που τέλειωσαν την ιστορία τους.

Έμεινε έπειτα αμίλητος κάμποση ώρα, κι ύστερα ξερόβηξε και είπε το τελευταίο πράγμα στον κόσμο που περίμεναν ν' ακούσουν απ' το στόμα του:

«Και πώς το ξέρετε ότι η αδερφή σας δε λέει αλήθεια;».

«Μα –» έκανε η Σούζαν, κι έπειτα σταμάτησε. Στο πρόσωπο του γερο-καθηγητή έβλεπαν πως μιλούσε σοβαρά. Τότε η Σούζαν ξεθάρρεψε λίγο: « Αφού ο Έντμουντ λέει πως το κάνανε στα ψέματα».

«Αυτό ακριβώς πρέπει να σκεφτείτε καλά», είπε ο καθηγητής· «ας πούμε, και να με συμπαθάτε που το ρωτάω, μήπως από την πείρα σας θεωρείτε τον αδερφό σας πιο αξιόπιστο από την αδερφή σας; Δηλαδή, απ' όσο τους ξέρετε, ποιος δε λέει συνήθως ψέματα;».

«Μα εδώ ακριβώς είναι το παράξενο», είπε ο Πήτερ. « Ως τώρα, θα σας απαντούσα, η Λούσυ».

«Και συ τι λες, καλή μου;» είπε ο καθηγητής στη Σούζαν.

«Να, γενικά θα έλεγα το ίδιο με τον Πήτερ... Αλλά δεν μπορεί να είναι αλήθεια όλη εκείνη η ιστορία – με το δάσος και το Φαύνο».

«Αυτό δεν το καταλαβαίνω», είπε ο καθηγητής. «Και είναι πολύ σοβαρό να κατηγορείς για ψεύτη κάποιον που πάντα έλεγε την αλήθεια. Είναι πολύ, μα πάρα πολύ σοβαρό...».

«Αυτό που φοβόμαστε», είπε η Σούζαν, «είναι πως μπορεί να μην πρόκειται για ψέμα. Λέγαμε πως ίσως κάτι να 'παθε η Λούσυ».

«Δηλαδή να τρελάθηκε;» έκανε πολύ πολύ παγερά ο καθηγητής. « Ε, αυτό πια δεν είναι δύσκολο να το διαπιστώσετε. Δεν έχετε παρά να την κοιτάξετε και να της μιλήσετε, για να δείτε πως μόνο τρελή δεν είναι».

«Τότε...» είπε η Σούζαν. Ούτε στον ύπνο της δεν είχε δει ποτέ μεγάλο να μιλάει σαν τον καθηγητή, και δεν ήξερε τι να σκεφτεί.

« Αχ, η Λογική!» έκανε ο καθηγητής, σα να μιλάει μόνος του. «Γιατί να μη διδάσκουν Λογική σ' αυτά τα ευλογημένα τα σχολεία; Οι δυνατότητες είναι μόνο τρεις: ή λέει αλήθεια, ή τρελάθηκε, ή λέει ψέματα. Ξέρετε καλά πως δεν είναι ψεύτρα, και είναι ολοφάνερο πως δεν τρελάθηκε. Για την ώρα λοιπόν, κι ώσπου να βρούμε αποδείξεις, πρέπει να υποθέσουμε ότι λέει αλήθεια».

Η Σούζαν τον κοίταξε καλά, κι από την έκφρασή του βεβαιώθηκε πως δεν αστειευόταν διόλου.

«Μα κύριε, μπορεί να είναι αλήθεια;» είπε ο Πήτερ.

«Γιατί το λες αυτό;» είπε ο καθηγητής.

«Πρώτα πρώτα», είπε ο Πήτερ, «αν είναι αλήθεια, τότε γιατί να μη βρίσκεις τη χώρα μόλις ανοίγεις τη ντουλάπα; Εμείς πάντως ψάξαμε και δε βρήκαμε τίποτα· εκείνη τη φορά μάλιστα, ούτε κι η Λούσυ φαντάστηκε πως την έβλεπε».

«Και τι σημασία έχει αυτό;» είπε ο καθηγητής.

« Ε να, αν είναι αλήθεια, η χώρα θα 'πρεπε να υπάρχει πάντα εκεί».

«Ώστε έτσι;» είπε ο καθηγητής, κι ο Πήτερ τα 'χασε και δεν ήξερε τι να του απαντήσει.

«Κι ύστερα, δεν έλειψε καθόλου», είπε η Σούζαν. « Η Λούσυ δεν είχε καιρό να πάει πουθενά, ακόμα και να υπήρχε τέτοιο μέρος. Ήρθε και μας βρήκε τρέχοντας μόλις βγήκαμε απ' το δωμάτιο. Μήτε ένα λεπτό δεν είχε περάσει, και κείνη έκανε σα να 'λειψε ώρες».

«Αυτό ακριβώς είναι που κάνει την ιστορία να μοιάζει αληθινή», είπε ο καθηγητής. « Αν στο σπίτι αυτό υπάρχει πραγματικά μια πόρτα που βγάζει σε

κάποιον άλλο κόσμο ¡και πρέπει να σας προειδο-
ποιήσω ότι το σπίτι είναι πολύ παράξενο, ακόμα κι
εγώ ελάχιστα το ξέρω – αν λοιπόν μπήκε σ' έναν άλλο
κόσμο, δε θα μου φαινόταν διόλου απίθανο εκείνος ο
άλλος κόσμος να έχει δικό του, ξεχωριστό χρόνο · έτσι
που όσο κι αν μείνεις εκεί, για το *δικό μας* χρόνο να

μη σημαίνει τίποτα. Έπειτα, δε νομίζω ότι κορίτσι της
ηλικίας της σκαρώνει τόσο εύκολα μοναχό του τέτοιες
ιστορίες. Αν έλεγε ψέματα, θα φρόντιζε να κρυφτεί
κάμποση ώρα πριν ξαναβγεί και σας ξεφουρνίσει την
ιστορία».

«**Δηλαδή το πιστεύετε στ' αλήθεια πως μπορεί να
υπάρχουν άλλοι κόσμοι – παντού, ακόμα κι εδώ γύρω
– να, έτσι;**» είπε ο Πήτερ.

«Τίποτα δεν είναι πιο πιθανό», απάντησε ο καθηγητής βγάζοντας τα γυαλιά του, κι άρχισε να τα καθαρίζει μουρμουρίζοντας μοναχός του, «Πολύ θα 'θελα να ξέρω τι τους μαθαίνουν σ' αυτά τα σχολεία...».

«Και τώρα τι κάνουμε;» είπε η Σούζαν, βλέποντας τη συζήτηση να ξεφεύγει από το θέμα.

«Καλή μου δεσποινιδούλα», είπε ο καθηγητής, κι άξαφνα τους κοίταξε πολύ επίμονα, «έχω ένα σχέδιο

που κανείς σας δεν το πρότεινε ακόμα, και που αξίζει να το δοκιμάσετε».

«Τι;» είπε η Σούζαν.

«Να προσπαθήσουμε να κοιτάμε όλοι τη δουλειά μας», είπε ο καθηγητής. Και εδώ ακριβώς τέλειωσε η συζήτηση.

Έπειτα απ' αυτό, τα πράγματα έφτιαξαν κάπως για τη Λούσυ. Ο Πήτερ είχε το νου του στον Έντμουντ να μην την πειράξει, και κανείς πια δεν έβρισκε όρεξη να ξαναμιλήσει για τη ντουλάπα, που είχε γίνει αρκετά επικίνδυνο θέμα. Έτσι, για ένα διάστημα φάνηκε πως όλες οι περιπέτειες τελείωσαν· αλλά αυτό δεν ήταν καθόλου αλήθεια.

Το σπίτι του καθηγητή – που κι ο ίδιος το ήξερε τόσο λίγο – ήταν παμπάλαιο και ξακουστό, κι ένα σωρό κόσμος ερχόταν απ' όλη την Αγγλία και του ζητούσε την άδεια να το δει. Ήταν από κείνα τα σπίτια που αναφέρουν οι τουριστικοί οδηγοί, ακόμα και τα βιβλία της ιστορίας· και γιατί όχι, αφού είχαν να λένε γύρω απ' αυτό λογής λογής παράξενες ιστορίες, μερικές μάλιστα ακόμα πιο παράξενες από τούτη που σας γράφω τώρα δα. Κι όταν έρχονταν ξένοι και ζητούσαν να το δουν, ο καθηγητής πάντα τους άφηνε, και η κυρα-Μακρέντυ, η οικονόμος, τους πήγαινε από δωμάτιο σε δωμάτιο και τους μιλούσε για τους πίνακες και την πανοπλία και για τα σπάνια βιβλία στη βιβλιοθήκη. Της κυρα-Μακρέντυ δεν της άρεσαν τα παιδιά, μήτε της καλοφαινόταν να τη διακόπτουν εκεί που διηγούνταν στους επισκέπτες όσα ήξερε και δεν ήξερε. Σχεδόν από την πρώτη μέρα (μαζί μ' ένα σωρό άλλες οδηγίες) είχε πει του Πήτερ και της Σούζαν: «Και σας παρακαλώ, μην ξεχνάτε πως δεν πρέπει να βρίσκόσαστε στα πόδια μου όταν ξεναγώ κόσμο στο σπίτι».

«Πουφ! Λες και θα ΄θελε κανένας μας επίτηδες να φάει το μισό του πρωί παίρνοντας από πίσω ένα μπουλούκι μυστήριους μεγάλους!» είπε ο Έντμουντ. Κι οι άλλοι τρεις το ίδιο σκέφτηκαν. Έτσι λοιπόν ξεκίνησαν οι περιπέτειες τη δεύτερη φορά.

Κάμποσες μέρες αργότερα, εκεί που ο Πήτερ με τον Έντμουντ περιεργαζόντουσαν την πανοπλία και κοιτούσαν πώς θα γίνει να τη λύσουν, τα δυο κορίτσια μπήκαν τρέχοντας στην αίθουσα: «Το νου σας! Έρχεται η Μακρένταινα κι ένα τσούρμο ξοπίσω της!».

«Δρόμο!» φώναξε ο Πήτερ, και βγήκαν όλοι από την πόρτα που βρισκόταν στο βάθος της αίθουσας. Πέρασαν απ' το Πράσινο Δωμάτιο, κι από κει στη βιβλιοθήκη, όταν ξάφνου άκουσαν φωνές μπροστά τους και κατάλαβαν πως η κυρα-Μακρέντυ πρέπει να 'φερνε τους ξένους από τις πίσω σκάλες, κι όχι από τις μπροστινές, όπως λογάριαζαν. Εκείνη τη στιγμή λοιπόν, δεν ξέρω αν χάσανε το νου τους, ή αν η κυρα-Μακρέντυ τους κυνηγούσε στ' αλήθεια, ή αν το σπίτι είχε τίποτα μαγικό που ζωντάνεψε και τους έσπρωχνε να γυρίσουν στη Νάρνια – μα ένιωσαν στ' αλήθεια κυνηγημένοι, κι αφού βολόδειραν από δω κι από κει, η Σούζαν είπε, «Ουφ κι αυτοί οι τουρίστες! Πάμε να κρυφτούμε στο Δωμάτιο της Ντουλάπας ώσπου να περάσουν. Εκεί δεν πρόκειται να μπει κανείς». Μόλις όμως χώθηκαν στο δωμάτιο, άκουσαν πάλι φωνές στο διάδρομο και κάποιος ψαχούλεψε το χερούλι στην πόρτα – το είδαν μάλιστα να γυρίζει αργά.

«Γρήγορα!» είπε ο Πήτερ. «Δεν υπάρχει άλλη λύση!» κι άνοιξε διάπλατα τη ντουλάπα. Όρμησαν κι οι τέσσερις μέσα κουτρουβαλώντας και κάθισαν λαχανιάζοντας στα σκοτεινά. Ο Πήτερ βαστούσε από μέσα την πόρτα, μισόκλειστη όμως, γιατί φυσικά, όπως και κάθε λογικός άνθρωπος, θυμόταν ότι ποτέ μα ποτέ δεν πρέπει να κλειδώνεσαι μέσα σε ντουλάπες.

ΚΕΦΑΛΑΙΟ ΕΚΤΟ

Μέσα στο δάσος

«Άντε να τους ξεκουβαλήσει γρήγορα η Μακρένταινα», είπε σε λίγο η Σούζαν. «Μούδιασα ολόκληρη».

«Και βρομάει και ναφθαλίνη, πουφ!» είπε ο Έντμουντ.

«Θα 'χουν γεμίσει ως και τις τσέπες των πανωφοριών για να μην τα φάει ο σκόρος», είπε η Σούζαν.

«Κάτι κολλάει στην πλάτη μου», είπε ο Πήτερ.

«Και κάνει κρύο», είπε η Σούζαν.

«Σα να 'χεις δίκιο», είπε ο Πήτερ. «Να πάρει η ευχή, είναι και υγρά. Τι γίνεται εδώ μέσα; Κάθομαι πάνω σε κάτι βρεγμένο. Κι όλο και πιο βρεγμένο το νιώθω!». Σηκώθηκε σκουντουφλώντας.

«Δε βγαίνουμε τώρα;» είπε ο Έντμουντ. «Φύγανε».

«Ααα!» έκανε ξαφνικά η Σούζαν, κι όλοι τη ρώτησαν τι τρέχει.

«Η πλάτη μου ακουμπάει σ' ένα δέντρο», είπε η

Σούζαν. «Κοιτάξτε – κάτι φέγγει! Πέρα, εκεί».

«Μα το ναι, καλά λες», είπε ο Πήτερ. «Κοιτάξτε εδώ – και κει. Παντού δέντρα. Και κείνο το υγρό πράγμα ήτανε χιόνι. Ε λοιπόν, θαρρώ πως μπήκαμε επιτέλους στο δάσος της Λούσυ».

Τώρα πια δε χωρούσε αμφιβολία, και τα τέσσερα παιδιά στάθηκαν μισοκλείνοντας τα μάτια στο φως της χειμωνιάτικης μέρας. Πίσω τους κρέμονταν τα πανωφόρια στις κρεμάστρες, και μπροστά τους είχαν δέντρα χιονισμένα.

Ο Πήτερ γύρισε στη Λούσυ:

«Με συγχωρείς που δε σε πίστευα», είπε. «Λυπάμαι πολύ. Φίλοι;» και της έδωσε το χέρι.

«Άκου λόγια!» είπε η Λούσυ και του το 'σφιξε.

«Και τώρα τι κάνουμε;» είπε η Σούζαν.

«Τι κάνουμε; Φυσικά, πάμε να εξερευνήσουμε το δάσος», είπε ο Πήτερ.

«Μπρρρ!» έκανε η Σούζαν χτυπώντας τα πόδια της. «Έβαλε ένα κρύο! Τι λέτε, φοράμε κανένα από τούτα τα πανωφόρια;».

«Μα δεν είναι δικά μας», είπε διστακτικά ο Πήτερ.

«Κανείς δεν πρόκειται να θυμώσει», είπε η Σούζαν. «Στο κάτω κάτω, δε θα τα βγάλουμε από το σπίτι · ούτε καν από τη ντουλάπα!».

« Ε λοιπόν, ούτε που το σκέφτηκα!» είπε ο Πήτερ. «Βέβαια, έτσι όπως το λες τώρα, το καταλαβαίνω. Κανένας δε θα σε κατηγορήσει πως του βούτηξες το παλτό, αν το αφήσεις εκεί που το βρήκες. Κι έπειτα, όλη τούτη η χώρα μπορεί να είναι μέσα στη ντουλάπα».

Κι έτσι εφαρμόσαν στη στιγμή το σχέδιο της Σούζαν, που ήταν και πολύ λογικό. Τα πανωφόρια τους έπεφταν μεγάλα, πιο πολύ με βασιλικούς μανδύες έμοιαζαν, έτσι που τους φτάναν ως τα παπούτσια. Όλοι τους όμως ένιωσαν πιο ζεστά, κι ο καθένας πίστευε πως οι άλλοι είναι πιο όμορφοι με το καινούριο τους ρούχο και πιο ταιριαστοί με το τοπίο.

«Να παίξουμε πως είμαστε εξερευνητές στην Αρκτική», είπε η Λούσυ.

«Μπα, και χωρίς να παίξουμε τίποτα θα 'χει μεγάλη πλάκα», είπε ο Πήτερ, και πήρε πρώτος το δρόμο για το δάσος. Πάνω τους κρέμονταν βαριά σκοτεινά σύννεφα, και φαινόταν πως, πριν νυχτώσει, θα χιονίσει πάλι.

«Δε μου λέτε», είπε σε λίγο ο Έντμουντ, «δεν κόβουμε λίγο πιο αριστερά – δηλαδή, αν θέλουμε να φτάσουμε στο φανοστάτη». Για μια στιγμή είχε ξεχάσει πως έπρεπε να παραστήσει ότι πρώτη φορά βρισκότανε στο δάσος. Μα μόλις του ξέφυγαν τα λόγια αυτά, ένιωσε πως προδόθηκε. Όλοι σταμάτησαν και τον κοίταξαν άγρια. Ο Πήτερ σφύριξε.

«Ώστε λοιπόν, στ' αλήθεια είχες έρθει εκείνη τη φορά!» είπε. «Τότε που μας είπε η Λούσυ πως σε συνάντησε – και την έβγαλες ψεύτρα!».

Έπεσε νεκρική σιγή. «Έχω δει τέρατα και τέρατα –» είπε ο Πήτερ, κι έπειτα ανασήκωσε τους ώμους και δεν ξαναμίλησε. Πραγματικά, δε φαινόταν να μένει και τίποτ' άλλο να πει, και σε λίγο οι τέσσερις συνέχισαν το δρόμο τους. Ο Έντμουντ όμως έλεγε και ξανάλεγε μέσα του: «Θα μου το πληρώσετε όλοι σας, ψηλομύτηδες και φαντασμένοι!».

«Πού πάμε τέλος πάντων;» είπε η Σούζαν, πιο πολύ για ν' αλλάξει θέμα.

«Εγώ λέω να μας οδηγήσει η Λούσυ», είπε ο Πήτερ. «Έτσι κι αλλιώς, της αξίζει να γίνει αρχηγός. Λοιπόν Λούσυ, τι προτείνεις;».

«Τι λέτε, πάμε στον κύριο Τούμνους;» είπε η Λούσυ. «Είναι ο καλός Φαύνος που σας έλεγα».

Συμφώνησαν όλοι και ξεκινήσαν γρήγορα, χτυπώντας τα πόδια για να ζεσταθούν. Η Λούσυ αποδείχτηκε πρώτης τάξεως αρχηγός. Στην αρχή φοβόταν μήπως δε βρει το δρόμο, αλλά θυμήθηκε πρώτα ένα παράξενο δέντρο σε μια μεριά, έπειτα ένα κούτσουρο παρακάτω, και σε λίγο τους έφερε σε τόπους απόκρη-

μνους και τραχιούς, μπήκαν στη μικρή κοιλάδα και με τα πολλά βρήκαν την πόρτα της σπηλιάς του κυρίου Τούμνους. Εκεί όμως τους περίμενε μια φριχτή έκπληξη.

Η πόρτα ήταν βγαλμένη από τους μεντεσέδες της και την είχαν κάνει κομματάκια. Μέσα, η σπηλιά ήταν κρύα και σκοτεινή, και μύριζε υγρασία, σα σπίτι που έμεινε κάμποσο ακατοίκητο. Χιόνι είχε μπει από τη σπασμένη πόρτα κι ήταν τώρα σωριασμένο στο πάτωμα, ανάκατο με κάτι μαυραδάκια που, όπως αποδείχτηκε, ήταν τ' αποκαΐδια και οι στάχτες από τη φωτιά. Φαινόταν πως κάποιος την είχε σκορπίσει στο δωμάτιο κι έπειτα την ποδοπάτησε για να σβήσει. Τα γυαλικά ήταν τσακισμένα στο πάτωμα και η εικόνα του πατέρα-Φαύνου κομμένη λουρίδες με το μαχαίρι.

«Γυαλιά καρφιά τα κάνανε», είπε ο Έντμουντ · «δε βγήκε τίποτα που ήρθαμε ως εδώ, τζάμπα ο κόπος».

«Τι 'ναι τούτο;» έκανε ο Πήτερ σκύβοντας. Είχε προσέξει ένα χαρτάκι καρφωμένο στο πάτωμα πάνω απ' το χαλί.

«Γράφει τίποτα;» ρώτησε η Σούζαν.

«Ναι, θαρρώ πως κάτι γράφει», είπε ο Πήτερ, «μα δε βλέπω καλά να το διαβάσω σ' αυτό το φως. Πάμε έξω».

Βγήκαν όλοι στο φως της μέρας, μαζεύτηκαν γύρω απ' τον Πήτερ, κι αυτός τους διάβασε τα παρακάτω:

Ο πρώην ένοικος του σπηλαίου τούτου, Τούμνους ο Φαύνος, είναι υπό κράτησιν και περιμένει να δικασθεί με την κατηγορίαν της Εσχάτης Προδοσίας κατά της Αυτής Αυτοκρατορικής Μεγαλειότητος Τζάντις, Βασιλίσσης της Νάρνια, Πυργοδεσποίνης του Κάιρ Πάραβελ, Αυτοκρατείρας των Νησιών της Ερημιάς κλπ. κλπ., καθώς επίσης και διότι συνέδραμε τους εχθρούς τής ως άνω Μεγαλειότητος, παρέσχεν άσυλον εις κατασκόπους και συνήψε φιλικάς σχέσεις μετά Ανθρώπων.

Υπογραφή: ΜΩΓΚΡΙΜ, Αρχηγός της Μυστικής Αστυνομίας. ΖΗΤΩ Η ΒΑΣΙΛΙΣΣΑ!

Τα παιδιά κοιτάχτηκαν.

«Τελικά, δεν ξέρω αν θα μου αρέσει αυτός ο τόπος», είπε η Σούζαν.

«Ποια είναι η Βασίλισσα, Λου;» είπε ο Πήτερ. «Ξέρεις τίποτα γι' αυτήν;».

«Δεν είναι αληθινή βασίλισσα», είπε η Λούσυ · «είναι μια τρομερή μάγισσα, η Λευκή Μάγισσα. Όλοι – δηλαδή όλοι οι καλοί – τη μισούν. Έχει μαγέψει τη χώρα και είναι πάντα χειμώνας, αλλά ποτέ δεν έρχονται Χριστούγεννα».

« Α – αναρωτιέμαι αν αξίζει τον κόπο να προχωρήσουμε», είπε η Σούζαν. «Θέλω να πω, δε νομίζω πως είμαστε ιδιαίτερα ασφαλείς εδωπέρα, κι απ' ό,τι φαίνεται δε θα διασκεδάσουμε καθόλου. Και, κάθε λεπτό που περνάει, κάνει και πιο πολύ κρύο, κι ούτε πήραμε φαΐ μαζί μας. Τι λέτε, γυρνάμε σπίτι;».

«Αυτό να το βγάλετε απ' το νου σας», είπε ξαφνικά η Λούσυ. «Μα δεν καταλαβαίνετε λοιπόν; Μετά απ' όσα έγιναν, δεν πρέπει να τον αφήσουμε έτσι. Για χάρη μου έμπλεξε τόσο άσχημα ο καημενούλης ο Φαύνος. Εκείνος μ' έκρυψε από τη Μάγισσα και μου 'δειξε το δρόμο να γυρίσω. Αυτό εννοεί όταν λέει ''συνέδραμε τους εχθρούς της Αυτής Μεγαλειότητος και συνήψε φιλικάς σχέσεις μετά Ανθρώπων''. Πρέπει να κάνουμε τ' αδύνατα δυνατά για να τον σώσουμε».

« Εμένα μου λες;» είπε ο Έντμουντ. «Νηστικό αρκούδι δε χορεύει».

«Πάψε, παλιο –» έκανε ο Πήτερ, που ήταν ακόμα θυμωμένος με τον Έντμουντ. « Εσύ Σούζαν, τι λες;».

« Έχω ένα τρομερό προαίσθημα πως η Λούσυ έχει δίκιο», είπε η Σούζαν. «Δε θέλω να πάμε μήτε βήμα παραπέρα, μακάρι να μην ερχόμαστε ποτέ. Αλλά νομίζω πως κάτι πρέπει να γίνει για τον κύριο Πώστον λένε – θέλω να πω, τον Φαύνο».

«Το ίδιο πιστεύω και γω», είπε ο Πήτερ. «Ανησυχώ όμως γιατί δεν έχουμε τρόφιμα. Θα ψήφιζα να γυρίσουμε και να πάρουμε τίποτα απ' το κελάρι, αλλά δεν είναι διόλου σίγουρο ότι θα καταφέρουμε να ξαναμπούμε σ' αυτή τη χώρα, αν βγούμε τώρα. Λέω καλύτερα να προχωρήσουμε».

«Κι εγώ», είπαν μ' ένα στόμα τα δυο κορίτσια.

«Ας ξέραμε μονάχα πού τον έχουνε το φουκαρά!» είπε ο Πήτερ.

Στάθηκαν τότε αναποφάσιστοι, μην ξέροντας από πού ν' αρχίσουν, όταν η Λούσυ είπε, «Κοιτάξτε! Να ένας κοκκινολαίμης με κατακόκκινο στηθάκι. Είναι το πρώτο πουλί που βλέπω εδώ. Δεν ξέρω τι λέτε εσείς, αλλά εγώ αναρωτιέμαι μήπως, στη Νάρνια, μιλάνε και τα πουλιά! Μοιάζει σα να θέλει να μας πει κάτι». Γύρισε λοιπόν στον Κοκκινολαίμη και φώναξε: «Σε παρακαλώ, μήπως μπορείς να μας πεις πού πήγανε τον Τούμνους το Φαύνο;» και με τα λόγια αυτά έκανε ένα βήμα προς το μέρος του πουλιού. Το πουλί πέταξε, αλλά δεν πήγε πιο πέρα από το διπλανό δέντρο. Εκεί κούρνιασε σ' ένα κλαρί και τους κοίταξε πολύ επίμονα, λες και καταλάβαινε τις κουβέντες τους. Σχεδόν ασυναίσθητα, τα τέσσερα παιδιά έκαναν άλλα δυο βήματα. Και πάλι ο Κοκκινολαίμης πέταξε στο παρακάτω δέντρο και τα ξανακοίταξε παράξενα. (Σίγουρα ποτέ σας δεν έχετε δει τέτοιον κοκκινολαίμη, με τόσο κόκκινο στηθάκι και τόσο λαμπερά μάτια).

«Ξέρετε κάτι;» είπε η Λούσυ. «Θαρρώ πως θέλει να τον ακολουθήσουμε».

«Έτσι μου φαίνεται και μένα», είπε η Σούζαν. «Εσύ Πήτερ, τι λες;».

«Δε χάνουμε και τίποτα να δοκιμάσουμε», είπε ο Πήτερ.

Ο Κοκκινολαίμης φαινόταν να ξέρει καλά τη δουλειά του· πετούσε από δέντρο σε δέντρο, μένοντας πάντα λίγα μέτρα μπροστά τους, αλλά αρκετά κοντά για να τον ακολουθούν άνετα. Κι έτσι, μπρος το πουλί και πίσω τα παιδιά, κατέβηκαν σιγά σιγά το λόφο. Από κάθε κλαρί που σταματούσε ο Κοκκινολαίμης, τιναζόταν ένας μικρός καταρράχτης από το στοιβαγμένο χιόνι. Και σε λίγο τα σύννεφα άνοιξαν και τους τύφλωσαν. Είχανε κάνει κοντά μισή ώρα δρόμο, με τα δυο κορίτσια μπροστά, όταν ο Έντμουντ μίλησε στον Πήτερ: «Αν η αφεντιά σου καταδέχεται ν' ακούσει, έχω να σου πω κάτι που καλά θα κάνεις να το προσέ-

«Σαν τι;» είπε ο Πήτερ.

«Σςςςς! Όχι τόσο δυνατά!» είπε ο Έντμουντ. «Δε βγαίνει τίποτα να τις τρομάξουμε. Καταλαβαίνεις τι κάνουμε τόση ώρα;».

«Τι;» έκανε ψιθυριστά ο Πήτερ.

«Ακολουθούμε έναν άγνωστο οδηγό. Πού ξέρεις με ποιανού το μέρος είναι το πουλί; Αποκλείεται να μας παρασέρνει σε παγίδα;».

«Τι φριχτή ιδέα σου κατέβηκε! Κι ωστόσο – είναι κοκκινολαίμης, και σ' όλες τις ιστορίες που έχω διαβάσει, οι κοκκινολαίμηδες είναι καλά πουλιά. Δε νομίζω πως θα πήγαινε ποτέ κανένας τους με τους κακούς».

«Και σάμπως ξέρουμε ποιοι είναι οι κακοί; Ποιος μας λέει ότι οι Φαύνοι έχουν δίκιο και η Βασίλισσα (σύμφωνοι, μας την παράστησαν για μάγισσα) είναι η κακιά; Αν το καλοσκεφτείς, δεν ξέρουμε τίποτα γι' αυτήν».

«Μα ο Φαύνος έσωσε τη Λούσυ».

«*Είπε πως την έσωσε. Είσαι σίγουρος όμως; Κι έπειτα, δεν είναι μόνο αυτό. Από δω που βρισκόμαστε, ξέρει κανείς μας πώς γυρίζουν πίσω;*».

«Τόμπολα!» είπε ο Πήτερ. «Αυτό ούτε που το σκέφτηκα».

«Και βέβαια, για φαΐ ούτε λόγος!» είπε ο Έντμουντ.

KEΦΑΛΑΙΟ ΕΒΔΟΜΟ

Μια μέρα με τους κάστορες

Εκεί που τ' αγόρια είχαν μείνει πίσω και κουβέντια-
ζαν ψιθυριστά, τα δυο κορίτσια φώναξαν ξαφνικά
« Αχ!» και στάθηκαν.

« Ο κοκκινολαίμης!» φώναξε η Λούσυ. « Ο κοκκι-
νολαίμης μας! Έφυγε!». Και πραγματικά, έτσι ήταν.
Το πουλί είχε γίνει άφαντο.

«Και τώρα τι κάνουμε;» είπε ο Έντμουντ κι έριξε
στον Πήτερ μια ματιά που σήμαινε, «Τι σου έλεγα;».

«Σσσς! Κοιτάξτε!» είπε η Σούζαν.

«Τι;» έκανε ο Πήτερ.

«Κάτι σαλεύει ανάμεσα στα δέντρα – εκεί, αρι-
στερά».

Κοίταξαν όλοι όσο πιο προσεχτικά μπορούσαν, και
κανένας τους δεν ένιωθε και πολύ άνετα.

«Νάτο πάλι!» είπε σε λίγο η Σούζαν.

«Αυτή τη φορά το είδα και γω», είπε ο Πήτερ. « Ακόμα εκεί είναι. Τώρα κρύφτηκε πίσω από κείνο το μεγάλο δέντρο».

«Τι να 'ναι;» ρώτησε η Λούσυ, βάζοντα τα δυνατά της για να μη δείξει πως φοβάται.

« Ό,τι κι αν είναι», είπε ο Πήτερ, «φαίνεται πως μας κρύβεται – δε θέλει να το δούμε».

« Εγώ λέω να γυρίσουμε πίσω», είπε η Σούζαν. Και τότε, μόλο που κανείς δεν το 'πε δυνατά, όλοι κατάλαβαν μεμιάς εκείνο που είχε ψιθυρίσει ο Έντμουντ στον Πήτερ, στο τέλος του προηγούμενου κεφαλαίου.

Είχανε χάσει το δρόμο.

«Σαν τι σας φαίνεται;» είπε η Λούσυ.

« Α – μοιάζει με ζώο», είπε η Σούζαν, κι αμέσως πρόσθεσε, «Κοιτάξτε! Κοιτάξτε γρήγορα! Νάτο!».

Τούτη τη φορά, όλοι είδαν ένα χνουδωτό μουτράκι με φαβορίτες που τους κοίταξε πίσω από το δέντρο. Τώρα όμως το ζωάκι δεν τραβήχτηκε αμέσως. Έβαλε μόνο το μπροστινό του ποδαράκι στο στόμα, όπως βάζουν οι άνθρωποι το δάχτυλο στα χείλια και σου γνέφουν να σωπάσεις. Έπειτα χάθηκε πάλι. Τα παιδιά στάθηκαν κρατώντας την ανάσα τους.

Μισό λεπτό αργότερα, ο ξένος ξαναφάνηκε πίσω απ᾽ το δέντρο, κοίταξε γύρω του λες και φοβόταν μήπως τον παρακολουθούν, κι είπε «Σσσσστ!» γνέφοντάς τους να τον ακολουθήσουν μέσα στο πυκνό σύδεν-

τρο όπου κρυβόταν. Και ξανακρύφτηκε.

« Α μαλιστα, κάστορας είναι!» είπε ο Πήτερ. «Είδα την ουρά του».

«Θέλει να τον ακολουθήσουμε», είπε η Σούζαν, «και μας προειδοποίησε να μην κάνουμε θόρυβο».

«Το ξέρω», είπε ο Πήτερ. «Το πρόβλημα όμως είναι

άλλο: Να πάμε ή να μην πάμε; Τι λες, Λου;».

« Εμένα μου φαίνεται καλός κάστορας», είπε η Λούσυ.

«Ναι, αλλά πώς το ξέρουμε;» πετάχτηκε ο Έντμουντ. «Μήπως πρέπει να το διακινδυνέψουμε;» είπε η Σούζαν. «Θέλω να πω, έτσι κι αλλιώς δε βγαίνει τίποτα να καθίσουμε εδώ. Κι έχω μια πείνα!».

Εκείνη τη στιγμή ο Κάστορας έβγαλε πάλι το κεφάλι του πίσω από το δέντρο και τους έγνεψε, πολύ σοβαρός.

«Πάμε», είπε ο Πήτερ, «ας δοκιμάσουμε. Να μένετε ο ένας κοντά στον άλλο. Αν ο κάστορας αποδειχτεί εχθρός, πρέπει να είμαστε ενωμένοι».

Κι έτσι τα παιδιά πλησίασαν το δέντρο, χώθηκαν πίσω του και βρήκαν τον Κάστορα· εκείνος όμως πισωπατούσε ακόμα, κι έλεγε μ' έναν τραχύ γουργουριστό ψίθυρο που έβγαινε από το λαιμό του, « Ακόμα, ακόμα. Α μπράβο, εδώ! Δεν είμαστε ασφαλείς στ' ανοιχτά!». Τους οδήγησε σε μια μεριά σκοτεινή, με τέσσερα δέντρα που φύτρωναν τόσο κοντά το ένα στ' άλλο, που τα κλαριά τους έσμιγαν, κι από κάτω φαινόταν το χώμα κι οι πευκοβελόνες, γιατί μήτε το χιόνι δεν κατάφερνε να περάσει. Και τότε τους μίλησε.

«Είσαστε οι Γιοι του Αδάμ και οι Κόρες της Εύας;».

«Μερικοί», είπε ο Πήτερ.

«Σσσσσς!» έκανε ο Κάστορας. « Όχι τόσο δυνατά, σας παρακαλώ! Ούτε εδώ είμαστε ασφαλείς!».

«Γιατί, ποιον φοβόσαστε;» είπε ο Πήτερ. « Εδωπέρα δεν είναι κανείς εκτός από μας».

«Τα δέντρα», είπε ο Κάστορας. «Πάντα στήνουν αυτί. Τα περισσότερα είναι με το μέρος μας. Είναι όμως και *μερικά* που θα μας πρόδιναν σε *κείνην*. Ξέρετε για ποιαν λέω», και κούνησε κάμποσες φορές το κεφάλι τους.

«Είπε "με το μέρος" μας», έκανε ο Έντμουντ.

« Αλλά πώς ξέρουμε πως είσαι φίλος;».

«Δε θα θέλαμε να σας προσβάλουμε, κύριε Κάστορα», είπε ο Πήτερ, «αλλά βλέπετε, είμαστε ξένοι».

«Πολύ σωστά, πολύ σωστά», είπε ο Κάστορας. «Λοιπόν, ορίστε η απόδειξή μου». Και με τα λόγια αυτά έβγαλε και τους έδειξε ένα μικρό άσπρο πραγματάκι. Το κοίταξαν χωρίς να καταλαβαίνουν, αλλά η Λούσυ φώναξε ξαφνικά, «Μα βέβαια. Είναι το μαντίλι μου – αυτό που έδωσα στον καημενούλη μου τον κύριο Τούμνους!».

« Ακριβώς», είπε ο Κάστορας. « Ο δύστυχος πρόλαβε να μάθει τα καθέκαστα πριν τον συλλάβουν και μου το 'δωσε. Μου είπε, αν του συμβεί τίποτα, να σας συναντήσω εδώ και να σας πάω στον –». Και εδώ ο Κάστορας σώπασε και κούνησε κανά δυο φορές το κεφάλι με πολύ μυστήριο τρόπο. Έπειτα έγνεψε στα παιδιά να τον πλησιάσουν όσο πιο πολύ γινόταν, τόσο που ένιωσαν τις φαβορίτες του να τους γαργαλάνε τα μάγουλα, και πρόσθεσε ψιθυριστά –

«Λένε πως ο Ασλάν ξεκίνησε – μπορεί να 'χει φτάσει κιόλας».

Και τότε έγινε κάτι πολύ παράξενο. Κανένα απ' τα παιδιά δεν ήξερε ποιος είναι ο Ασλάν, όπως δεν ξέρετε και σεις τη στιγμή όμως που ο Κάστορας ξεστόμισε τα λόγια εκείνα, καθένας τους ένιωσε και κάτι αλλιώτικο. Μπορεί να σας έχει τύχει, μέσα σε όνειρο, να σας πούνε κάτι που δεν το καταλαβαίνετε, αλλά να νιώσετε πως μέσα στο όνειρο έχει μεγάλη σημασία – είτε τρομερή, που κάνει το όνειρο εφιάλτη, ή όμορφη, τόσο όμορφη που δεν παρασταίνεται με λόγια, και κάνει τ' όνειρο τόσο θαυμάσιο. που το θυμόσαστε σ' όλη σας τη ζωή και πάντα λαχταράτε να το ξαναζήσετε. Κάτι τέτοιο λοιπόν έγινε και τώρα. Ακούγοντας το όνομα του Ασλάν, τα παιδιά ένιωσαν κάτι να σκιρτάει μέσα τους. Ο Έντμουντ πλημμύρισε με ανεξήγητο τρόμο. Ο Πήτερ ένιωσε ξάφνου γενναίος κι έτοιμος για περιπέτειες. Η Σούζαν ρίγησε σα να κυλούσε μέσα της μια υπέροχη ευωδιά, ή ονειρεμένη μουσική. Και η Λούσυ ένιωσε όπως νιώθεις καμιά φορά όταν ξυπνάς το πρωί και καταλαβαίνεις πως άρχισαν διακοπές ή μπήκε το καλοκαίρι.

«Και ο κύριος Τούμνους; Πού τον έχουνε;» είπε η Λούσυ.

«Σσσς!» έκανε ο Κάστορας. «Όχι εδώ. Πρέπει να πάμε κάπου που να μπορούμε να κουβεντιάσουμε ήσυχα και να φάμε και κάτι».

Τώρα πια κανείς, εκτός από τον Έντμουντ, δε δίσταζε να εμπιστευτεί τον Κάστορα – και όλοι, χωρίς καμιά εξαίρεση, χάρηκαν που άκουσαν να γίνεται λόγος για φαΐ. Βιάστηκαν λοιπόν ν' ακολουθήσουν τον καινούριο τους φίλο, που τους οδήγησε με απίστευτη σβελτάδα, και πάντα από τα πιο πυκνά μέρη του δάσους, καμιά ώρα δρόμο. Όλοι ένιωθαν κατάκοποι και πεινασμένοι, όταν ξαφνικά τα δέντρα άρχισαν ν' αραιώνουν μπροστά τους και το έδαφος έγινε απότομη κατηφοριά. Μισό λεπτό αργότερα είχαν πάνω τους τον ουρανό (ο ήλιος έλαμπε ακόμα), κι ένα υπέροχο θέαμα κάτω απ' τα πόδια τους.

Βρισκόντουσαν στο χείλος μιας απότομης στενής κοιλάδας, όπου κυλούσε ένα μεγάλο ποτάμι – ή μάλλον θα κυλούσε, ώσπου πάγωσε. Ακριβώς κάτω από το σημείο που στάθηκαν, ένα φράγμα έκοβε το ποτάμι, και βλέποντάς το θυμήθηκαν όλοι τους πως οι κάστορες πάντα φτιάχνουν φράγματα, κι ένιωσαν απόλυτα βέβαιοι πως τούτο εδώ το είχε φτιάξει ο κύριος Κάστορας. Πρόσεξαν ακόμα πως ο φίλος τους είχε πάρει μια πολύ σεμνή έκφραση – όπως κάνουν συνήθως οι άνθρωποι, όταν σου δείχνουν τον κήπο που έφτιαξαν με τα χέρια τους, ή σου ζητάνε να διαβάσεις ένα διήγημα που έγραψαν. Έτσι, για να είναι εντάξει με τους τύπους, η Σούζαν είπε, «Τι όμορφο φράγμα!». Και τούτη τη φορά ο κύριος Κάστορας δεν απάντησε «Σσσς!» αλλά, «Ψιλοπράγματα! Ψιλοπράγματα! Μήτε έχει τελειώσει, εδώ που τα λέμε!».

Πάνω από το φράγμα φαινόταν κάτι που κάποτε θα ήταν βαθιά λιμνούλα, μόνο που τώρα είχε γίνει ένα ίσιο πάτωμα από σκούρο πράσινο πάγο. Και κάτω από το φράγμα, πολύ πιο χαμηλά, είδαν κι άλλους πάγους, όχι λείους όμως, που είχαν πήξει σε αφρισμένα και κυματιστά σχήματα, σαν το νερό που κυλούσε ορμητικά τη στιγμή που έπεσε η παγωνιά. Και κει που τιναζόταν το νερό και πιτσιλούσε το φράγμα, είχε τώρα έναν αστραφτερό τοίχο από παγοκρύσταλλα, λες και σε κείνη τη μεριά το φράγμα ήταν γεμάτο λουλούδια και στεφάνια και γιρλάντες από ζάχαρη άχνη. Και πέρα, στη μέση, προς την κορυφή του φράγματος, είχε ένα αστείο σπιτάκι, σαν πελώρια κυψέλη· από μια τρύπα της σκεπής του έβγαινε καπνός, έτσι που μόλις το αντίκριζες (και μάλιστα αν πεινούσες) ο νους σου πήγαινε αμέσως στο μαγείρεμα και ένιωθες μεγαλύτερη πείνα από πρώτα.

Αυτό κυρίως πρόσεξαν οι άλλοι· ο Έντμουντ όμως πρόσεξε και κάτι άλλο. Λίγο πιο χαμηλά από τούτο το ποτάμι, ήταν κι άλλο ένα μικρό ποταμάκι που κατέβαινε σε μια μικρούτσικη κοιλάδα και το συναντούσε.

Και πάνω από τη μικρή κοιλάδα, ο Έντμουντ ξεχώρισε δυο μικρούς λόφους, κι ήταν σχεδόν σίγουρος πως εκείνους τους λόφους του 'δειξε η Λευκή Μάγισσα όταν αποχωρίζονταν τις προάλλες στο φανοστάτη. Ε λοιπόν, ανάμεσά τους έπρεπε να βρίσκεται το παλάτι της, ούτ' ένα μίλι απόσταση καλά καλά. Θυμήθηκε τότε τα λουκούμια, και που θα γινόταν Βασιλιάς («Για να δούμε πώς θα του φανεί του Πήτερ», σκέφτηκε) και τρομερές ιδέες του κατέβηκαν στο κεφάλι.

«Φτάσαμε», είπε ο κύριος Κάστορας, «και μου φαίνεται πως η κυρία Καστορίνα μας περιμένει. Ακολουθήστε με. Το νου σας μόνο μη φάτε καμιά γλίστρα».

Η κορυφή του φράγματος ήταν αρκετά φαρδουλή για να περπατάς, όμως (για τους ανθρώπους) δεν ήταν και πολύ ευχάριστο σεργιάνι, γιατί το σκέπαζε ο πάγος και, μόλο που η παγωμένη λιμνούλα από τη μια μεριά του έφτανε στα ίσια, από την άλλη είχε ένα φοβερό γκρεμό ίσαμε το πιο χαμηλό ποτάμι. Από τούτο το δρομάκι πέρασαν, μπροστά ο κύριος Κάστορας και πίσω ένα ένα τα παιδιά, κι έφτασαν στη μέση, απ' όπου έβλεπαν δεξιά κι αριστερά ολόκληρο το ποτάμι ως πέρα. Και κει ακριβώς βρισκόταν η πορτούλα του σπιτιού.

«Νάμαστε, κυρία Καστορίνα, τους βρήκα. Από δω οι Γιοι του Αδάμ και οι Κόρες της Εύας» – και μπήκανε όλοι μέσα.

Το πρώτο πράγμα που άκουσε η Λούσυ μπαίνοντας, ήταν ένας γουργουριστός θόρυβος, και το πρώτο που είδε ήταν μια γριά καστορίνα με καλοσυνάτη όψη, που καθότανε στη γωνιά με μια κλωστή στο στόμα και δούλευε απορροφημένη στη ραπτομηχανή της. Από

κει έβγαινε αυτός ο παράξενος θόρυβος. Μόλις είδε
τα παιδιά σταμάτησε τη δουλειά και σηκώθηκε.

« Επιτέλους, ήρθατε!» είπε κι άπλωσε τα ζαρωμένα
χεράκια της. « Επιτέλους! Έλεγα πως δε θα ζήσω να
τη δω αυτή τη μέρα! Οι πατάτες βράζουν κι η τσα-
γιέρα τραγουδάει και, αν μου επιτρέπετε Κύριε Κά-
στορα, θα σας παρακαλούσα να μας πιάσετε μερικά
ψάρια».

«Και βέβαια», είπε ο κύριος Κάστορας και βγήκε
από το σπιτάκι μαζί με τον Πήτερ. Πέρασαν τη βαθιά
λιμνούλα και τον έφερε σε μια μεριά που είχε μια
τρύπα ανοιγμένη στον πάγο, κι όταν έκλεινε τη φάρ-
δαινε πάλι με το τσεκούρι του. Είχανε πάρει μαζί τους
κι έναν κουβά. Ο κύριος Κάστορας κάθισε ήσυχα
στην άκρη της τρύπας (διόλου δε φάνηκε να τον νοιά-

ζει που ήταν τόσο παγωμένη), κοίταξε προσεχτικά μέσα, κι άξαφνα τίναξε το μπροστινό του ποδαράκι και, πριν προφτάσεις να πεις σκουληκομυρμηγκότρυπα, ψάρεψε μια όμορφη πέστροφα. Έκανε το ίδιο ξανά και ξανά, ώσπου γέμισε τον κουβά του με ψάρια.

Στο μεταξύ, τα κορίτσια βοηθούσαν την κυρία Καστορίνα να γεμίσει το τσαγερό και να στρώσει τα τραπέζι· έκοψαν ψωμί, έβαλαν τα πιάτα στο τζάκι να ζεσταθούν, γέμισαν ένα μεγάλο κανάτι μπίρα για τον κύριο Κάστορα από ένα βαρέλι που είχε στη γωνιά, κι έβαλαν το τηγάνι στη φωτιά για να κάψει το λίπος. Της Λούσυ πολύ της άρεσε το ζεστό σπιτάκι των Καστόρων, κι ας μην έμοιαζε καθόλου με τη σπηλιά του κυρίου Τούμνους. Δεν είχε βιβλία, μήτε πίνακες, κι αντί για κρεβάτια είχε κουκέτες, όπως στα καράβια, χτισμένες στους τοίχους. Κι από τα δοκάρια της στέγης κρέμονταν χοιρομέρια και πλεξάνες σκόρδα και κρεμμύδια, και στους τοίχους είχε γαλότσες για τα χιόνια και μουσαμαδιές, και τσεκούρια και ψαλίδες και αξίνες και μυστριά και ζεμπίλια που κουβαλάνε τη λάσπη και πετονιές και δίχτυα για το ψάρεμα και σακιά. Και το τραπεζομάντιλο ήταν χοντρό, αλλά πεντακάθαρο.

Πάνω στην ώρα που άρχισε να τσιτσιρίζει το τηγάνι, μπήκαν ο Πήτερ και ο κύριος Κάστορας με τα ψάρια, που ο κύριος Κάστορας τα είχε κιόλας ανοιγμένα και καθαρισμένα με το μαχαιράκι του. Φανταστείτε πώς μοσκοβόλησαν τα φρέσκα ψάρια στο τηγάνι, και πώς τα λιγούρευαν τα πεινασμένα παιδιά ώσπου να γίνουν, και πόσο μεγάλωσε η πείνα τους ώσπου να τελειώσει το τηγάνισμα και να πει η κυρία Καστορίνα, «Θαρρώ πως κοντεύουμε». Η Σούζαν στράγγιξε τις πατάτες και τις ξανάβαλε στην άδεια κατσαρόλα να στεγνώσουν στη γωνιά του τζακιού, ενώ η Λούσυ βοηθούσε την κυρία Καστορίνα να σερβίρει τις πέστροφες, κι έτσι σε λίγα λεπτά όλοι πήρανε θέση στα σκαμνιά τους (ξέχασα να σας πω ότι στο σπίτι των Καστόρων είχε μονάχα τρίποδα σκαμνιά, εκτός από την κουνιστή πολυθρόνα της κυρίας Καστορίνας, δίπλα στη φωτιά) κι ετοιμάστηκαν για το τσιμπούσι. Είχε μια κανάτα ολόπαχο γάλα για τα παιδιά (ο κύριος Κάστορας δεν έκανε ποτέ χωρίς τη μπίρα του) κι ένα μεγάλο κομμάτι σκουροκίτρινο βούτυρο στη μέση του τραπεζιού, για να παίρνεις όσο θες για τις πατάτες σου, και τα παιδιά σκεφτόντουσαν – και συμφωνώ μαζί τους – πως τίποτα δεν παραβγαίνει

στο καλό ψάρι του γλυκού νερού όταν το τρως ψαρε-
μένο της μισής ώρας, και βγαλμένο απ' το τηγάνι πριν
από μισό λεπτό. Κι όταν απόφαγαν τα ψάρια, η κυρία
Καστορίνα ξετρύπωσε εντελώς αναπάντεχα από το
φουρνάκι της ένα υπέροχο και μεγαλόπρεπα πασα-
λειμμένο ρολό μαρμελάδα, αχνιστό αχνιστό, και την
ίδια στιγμή έβαλε το τσαγερό στη φωτιά, έτσι που μό-
λις τέλειωσαν το ρολό, το τσάι είχε γίνει κι ήταν
έτοιμο να σερβιριστεί. Κι όταν όλοι πήραν τα φλιτζά-
νια τους, τράβηξαν πέρα τα σκαμνιά για ν' ακουμ-
πούν στον τοίχο, κι αναστέναξαν βαθιά και φχαρι-
στημένα.

«Και τώρα», είπε ο κύριος Κάστορας σπρώχνοντας
πέρα το αδειανό κανάτι της μπίρας και παίρνοντας
κοντά του το φλιτζάνι με το τσάι, «αν με περιμένετε
δυο λεπτά ν' ανάψω την πίπα μου και να την τραβήξω
– μπορούμε ν' αρχίσουμε λίγη δουλειά. Ξανάρχισε να
χιονίζει», πρόσθεσε ρίχνοντας μια ματιά από το
παράθυρο. «Κι αυτό είναι πολύ καλό, γιατί σημαίνει
πως δε θα μας έρθουν επισκέψεις. Ακόμα και να δο-
κίμασε κανείς να μας ακολουθήσει, δεν πρόκειται να
βρει τα ίχνη μας».

Τι έγινε μετά το τραπέζι

«Και τώρα», είπε η Λούσυ, «πέστε μας σας παρακαλούμε, τι απόγινε ο κύριος Τούμνους».

« Α, φοβερή ιστορία», έκανε ο κύριος Κάστορας κουνώντας το κεφάλι του. «Πολύ φοβερή ιστορία. Τον έπιασε η αστυνομία. Εγώ το έμαθα από ένα πουλί που ήτανε μπροστά».

«Και πού τον πήγανε;» είπε η Λούσυ.

«Τραβούσαν κατά το βορρά όταν τους είδανε για τελευταία φορά, κι όλοι ξέρουμε τι σημαίνει αυτό».

« *Εμείς* δεν ξέρουμε», είπε η Σούζαν. Ο κύριος Κάστορας κούνησε το κεφάλι του πολύ, μα πολύ θλιβερά.

«Αυτό σημαίνει, φοβάμαι, ότι τον πήγαν στο Σπίτι της», είπε.

«Και τι θα του κάνουνε κύριε Κάστορα;» ρώτησε πνιγμένα η Λούσυ.

« Ε, κανείς δεν ξέρει σίγουρα», είπε ο κύριος Κάστορας. « Ως τώρα όμως, δεν είναι πολλοί που να τους πήγαν εκεί πέρα και να γυρίσαν ζωντανοί. Λένε πως είναι όλο γεμάτο αγάλματα – στην αυλή και στις σκάλες και στη μεγάλη του αίθουσα. Πλάσματα ζωντανά που τα έκανε» –(εδώ σταμάτησε κι ανατρίχιασε) – «τα έκανε πέτρα».

« Αχ, κύριε Κάστορα, δε γίνεται – θέλω να πω, *κάτι πρέπει να κάνουμε για να τον σώσουμε*. Είναι φοβερό, και φταίω εγώ!» είπε η Λούσυ.

«Δεν αμφιβάλλω, χρυσούλι μου, πως αν μπορούσες θα τον έσωνες», είπε η κυρία Καστορίνα, «μα δεν έχεις καμιά πιθανότητα να μπεις σε κείνο το Σπίτι χωρίς τη θέλησή της, μήτε και να βγεις ζωντανή».

«Δεν μπορούμε να κάνουμε κανένα κόλπο;» είπε ο Πήτερ. «Να μασκαρευτούμε ή να παραστήσουμε τους γυρολόγους – ή κάτι τέτοιο... Ή πάλι να περιμένουμε ώσπου να βγει έξω – ή... Να πάρει η ευχή, *κάποιος τρόπος πρέπει να υπάρχει*. Αυτός ο Φαύνος έσωσε την αδελφή μου με κίνδυνο της ζωής του κύριε Κάστορα. Δεν μπορούμε να τον αφήσουμε έτσι να γίνει – να του κάνουν τέτοιο πράγμα».

«Δεν ωφελεί, Γιε του Αδάμ», είπε ο κύριος Κάστορας, «δεν ωφελεί να προσπαθήσετε, ειδικά *εσείς*. Μα τώρα που ξεκίνησε ο Ασλάν...».

« Α ναι! Μίλησέ μας για τον Ασλάν!» είπαν κάμποσες φωνές μαζί γιατί τους είχε πάλι πλημμυρίσει ξαφνικά εκείνο το παράξενο συναίσθημα – σαν το πρώτο μήνυμα της άνοιξης, σαν τα καλά μαντάτα που σου 'ρχονται ξαφνικά.

«Ποιος είναι ο Ασλάν;» ρώτησε η Σούζαν.

« Ο Ασλάν;» είπε ο κύριος Κάστορας. «Μα δεν τον ξέρετε; Είναι ο Βασιλιάς. Είναι Κύριος κι Αφέντης

του δάσους, μα δε βρίσκεται συχνά εδώ, καταλαβαί-
νετε. Τουλάχιστον δε βρισκόταν μήτε στη δική μου
εποχή, μήτε στου πατέρα μου. Έχει απλωθεί όμως η
φήμη πως ξαναγύρισε. Ετούτη τη στιγμή βρίσκεται
στη Νάρνια. Θα τη συγυρίσει μόνος του τη Λευκή
Μάγισσα. Αυτός, κι όχι εσείς, θα σώσει τον κύριο
Τούμνους».

«Εκείνον δεν μπορεί να τον κάνει πέτρα;» είπε ο
Έντμουντ.

«Ο Αφέντης να σε φυλάει, Γιε του Αδάμ! Τι κου-
ταμάρα ξεστόμισες!» απάντησε ο κύριος Κάστορας
γελώντας με την καρδιά του. «Αυτόν να τον κάνει πέ-
τρα; Μα αν καταφέρει να σταθεί στα πόδια της και να
τον αντικρίσει καταπρόσωπο, θα 'ναι το πιο πολύ που
μπορεί να κάνει, και θα 'ναι παραπάνω απ' ό,τι περι-
μένω. Όχι, όχι. Εκείνος θα τα βάλει όλα στη θέση
τους, όπως λέει ένα παλιό τραγούδι εδώ στα μέρη μας:

Όταν φανεί ο Ασλάν, το άδικο δίκιο θα γίνει,
Βρυχιέται φοβερά, και λύπη δε θα μείνει.
Τα δόντια του γυμνώνει και το χειμώνα σκιάζει,
Άνοιξη θα μυρίσει — τη χαίτη του τινάζει!

Όταν τον δείτε, θα καταλάβετε».

«Θα τον δούμε;» είπε η Σούζαν.

«Μα γι' αυτό σας έφερα εδώ, Κόρη της Εύας. Εγώ
θα σας πάω να τον συναντήσετε», είπε ο κύριος Κά-
στορας.

«Και είναι — είναι άνθρωπος;» ρώτησε η Λούσυ.

«Ο Ασλάν άνθρωπος!» είπε αυστηρά ο κύριος
Κάστορας. «Και βέβαια όχι. Σας είπα, είναι ο Βασι-
λιάς του δάσους, γιος του Μεγάλου Αυτοκράτορα
Πέρα από τη Θάλασσα. Δεν ξέρετε ποιος είναι ο Βα-

σιλιάς των Ζώων; Ο Ασλάν είναι λιοντάρι – *Το Λιοντάρι, το Μεγάλο Λιοντάρι*».

«Αααα!» έκανε η Σούζαν. «Εγώ έλεγα πως είναι άνθρωπος. Και δε μου λέτε – δαγκώνει; Τα 'χω λιγάκι χαμένα που πρόκειται να συναντήσω κοτζάμ λιοντάρι!».

«Βέβαια χρυσό μου, το καταλαβαίνω», είπε η κυρία Καστορίνα. «Αν υπάρχει κάποιος που να μπορεί να σταθεί μπροστά στον Ασλάν χωρίς να τρέμουνε τα γόνατά του, ή θα 'ναι ο πιο γενναίος απ' τους γενναίους, ή βλάκας».

«Δηλαδή – είναι επικίνδυνος;» είπε η Λούσυ.

«Επικίνδυνος;» έκανε ο κύριος Κάστορας. «Μα δεν ακούσατε τι σας είπε η κυρία Καστορίνα; Ποιος λέει πως δεν είναι επικίνδυνος; Και βέβαια είναι. Μα είναι και καλός. Είναι ο Βασιλιάς, σας λέω».

«Δε βλέπω την ώρα να τον συναντήσω», είπε ο Πήτερ, «κι ας φοβάμαι που θα 'ρθει».

«Σωστά μιλάς, Γιε του Αδάμ», είπε ο κύριος Κάστορας, και κατέβασε το μπροστινό του ποδαράκι στο τραπέζι με τέτοια δύναμη, που κουδουνίσαν τα πιατάκια και τα φλιτζάνια. «Και θα τον δεις. Σας μηνάει να τον συναντήσετε, αύριο αν μπορείτε στο Πέτρινο Τραπέζι».

«Πού είναι το Πέτρινο Τραπέζι:» είπε η Λούσυ.

«Θα σας πάω εγώ», είπε ο κύριος Κάστορας. «Είναι πέρα απ' την ποταμιά, κάμποση ώρα από δω. Εγώ θα σας οδηγήσω».

«Και στο μεταξύ τι να γίνεται ο καημενούλης ο κύριος Τούμνους;» είπε η Λούσυ.

«Αν θέλετε να τον βοηθήσετε γρήγορα, πηγαίνετε στον Ασλάν», είπε ο κύριος Κάστορας. «Τώρα που ήρθε, θα τα κανονίσει όλα. Όχι πως δε σας χρειαζόμαστε και σας – γιατί υπάρχει κι άλλο παλιό τραγούδι:

Στου Κάιρ Πάραβελ το θρόνο σαν καθίσει
η σάρκα και το αίμα του Αδάμ
η εποχή της δυστυχίας θα σβήσει.

Τώρα λοιπόν, πρέπει να κοντεύει το τέλος. Ήρθε εκείνος, ήρθατε κι εσείς. Είχαμε ακούσει κι άλλοτε πως έρχεται ο Ασλάν στα μέρη μας – καιρό πριν, κανείς πια δε θυμάται πότε. Όμως τότε δεν είχαμε κανένα από τη δική σας φυλή».

«Αυτό είναι που δεν καταλαβαίνουμε, κύριε Κάστορα», είπε ο Πήτερ. «Δηλαδή η Μάγισσα δεν είναι άνθρωπος;».

«Έτσι λέει», είπε ο κύριος Κάστορας «και σ' αυτό πάτησε και μας κάνει τη Βασίλισσα. Δεν είναι όμως κόρη της Εύας. Γεννήθηκε από την πρώτη γυναίκα του πατέρα σας του Αδάμ» – (κι εδώ ο κύριος Κάστορας έγειρε μπρος) – «τη Λίλιθ, που ήτανε Τζιν. Από κει γεννοκρατιέται – από τη μια μεριά. Από την άλλη, βαστάει από τους γίγαντες. Όχι, η Μάγισσα δεν έχει σταγόνα αληθινό ανθρώπινο αίμα».

«Γι' αυτό είναι έτσι κακιά, πέρα για πέρα», είπε η κυρία Καστορίνα.

«Σωστά. Οι άνθρωποι (δίχως να θέλω να προσβάλω τους παρόντες) έχουνε δυο όψεις, αλλά δε συμβαίνει το ίδιο με τα πλάσματα που μοιάζουν άνθρωποι χωρίς να είναι».

« Εγώ πάντως γνώρισα και καλούς Νάνους», είπε η κυρία Καστορίνα.

«Κι εγώ, τώρα που μου το θύμησες», είπε ο άντρας

της. «Ήτανε όμως λίγοι, κι έμοιαζαν λιγότερο με αν-
θρώπους. Πάντως, αν θες τη γνώμη μου, σαν ανταμώ-
νεις κάτι που πάει να γίνει ανθρώπινο κι ακόμα δεν
έγινε, ή που ήταν κάποτε ανθρώπινο αλλά δεν είναι
πια, ή που θα έπρεπε να είναι ανθρώπινο και δεν εί-
ναι, να 'χεις τα μάτια σου τέσσερα και το χέρι στο
τσεκούρι. Γι' αυτό η Μάγισσα ψάχνει συνέχεια γι' αν-
θρώπους στη Νάρνια. Χρόνια σας παραφυλάει, κι αν
μάλιστα ήξερε πως είσαστε τέσσερις... Τότε θα γινό-
ταν ακόμα πιο επικίνδυνη».

«Τι σχέση έχει αυτό;» είπε ο Πήτερ.

«Γιατί υπάρχει κι άλλος χρησμός», είπε ο κύριος
Κάστορας. «Κάτω στο Κάιρ Πάραβελ – το κάστρο της
ακτής, πέρα στις εκβολές του ποταμού, εκεί που θα
βρισκόταν η πρωτεύουσα της χώρας αν όλα ήταν
όπως πρέπει – κάτω στο Κάιρ Πάραβελ έχει τέσσερις
θρόνους και στη Νάρνια από χρόνους ανείπωτους κυ-
κλοφορεί ένας θρύλος, πως όταν δύο Γιοι του Αδάμ
και δυο Κόρες της Εύας καθίσουν στους τέσσερις
θρόνους, τότε θα τελειώσει η βασιλεία της Λευκής
Μάγισσας, αλλά και η ζωή της· γι' αυτό χρειάστηκε
να πάρουμε τόσες προφυλάξεις στο δρόμο. Αν ήξερε
πως είσαστε τέσσερις τότε οι ζωές σας δε θ' άξιζαν
ούτε μια τρίχα από τις φαβορίτες μου».

Τα παιδιά άκουγαν τόσο απορροφημένα τα λόγια
του κυρίου Κάστορα, που για κάμποση ώρα δεν πρόσε-
χαν τίποτ' άλλο. Και τότε μέσα στη σιωπή που ακο-
λούθησε την τελευταία παρατήρηση, η Λούσυ πετά-
χτηκε ξαφνικά:

«Δε μου λέτε – πού είναι ο Έντμουντ;».

Έπεσε πάλι μια τρομαχτική σιωπή, κι έπειτα όλοι
αρχίσαν να ρωτάνε «Ποιος τον είδε τελευταίος; Πόση
ώρα λείπει; Βγήκε έξω;» κι έτρεξαν στην πόρτα να

84

κοιτάξουν. Το χιόνι έπεφτε πυκνό κι αδιάκοπο, ο πράσινος πάγος της λιμνούλας είχε κρυφτεί κάτω από ένα παχύ άσπρο χαλί, κι από κει που βρισκόταν το σπιτάκι, στο κέντρο του φράγματος, μόλις που ξεχώριζες τις όχθες. Βγήκαν και έφεραν γύρο το σπίτι απ' όλες τις μεριές, βουλιάζοντας ως τον αστράγαλο στο μαλακό φρέσκο χιόνι. «Έντμουντ! Έντμουντ!» φώναζαν ώσπου βράχνιασαν. Όμως το χιόνι, που έπεφτε σιωπηλό έμοιαζε να πνίγει τις φωνές τους και μήτε αντίλαλος δεν τους αποκρίθηκε.

«Είναι φοβερό!» είπε η Σούζαν όταν καμιά φορά ξαναγυρίσαν όλοι απελπισμένοι. « Αχ καλύτερα να μην ερχόμασταν!».

«Και τώρα τι στο καλό να κάνουμε κύριε Κάστορα;» είπε ο Πήτερ.

«Θέλει και ρώτημα;» είπε ο κύριος Κάστορας, που έβαζε κιόλας τις γαλότσες του. «Τι να κάνουμε λες; Πρέπει να ξεκινήσουμε αμέσως. Δεν έχουμε μήτε λεπτό για χάσιμο!».

«Λέω να χωριστούμε καλύτερα σε τέσσερις ομάδες», είπε ο Πήτερ, «και να πάρουμε διαφορετική κατεύθυνση. Όποιος τον βρει πρώτος, να γυρίσει αμέσως και − ».

«Τι ομάδες, Γιε του Αδάμ» είπε ο κύριος Κάστορας. «Τι να τις κάνουμε τις ομάδες;».

«Για να ψάξουμε για τον Έντμουντ βέβαια!».

«Δεν έχει νόημα να τον γυρέψουμε», είπε ο κύριος Κάστορας.

«Μα τι λέτε τώρα;» είπε η Σούζαν. «Δε γίνεται να 'χει πάει μακριά. Πρέπει να τον βρούμε. Τι θα πει, δεν έχει νόημα να τον γυρέψουμε;».

«Θα πει», είπε ο κύριος Κάστορας «ότι ξέρουμε πολύ καλά πού πήγε!». Όλοι τον κοίταξαν ξαφνιασμένοι. «Μα δεν καταλαβαίνετε;» είπε ο κύριος Κάστορας. «Πήγε σε *κείνην*, στη Λευκή Μάγισσα. Μας πρόδωσε όλους».

« Ε, αυτό πια παραπάει!» φώναξε η Σούζαν. « Αποκλείεται να έκανε τέτοιο πράγμα».

« Αποκλείεται;» είπε ο κύριος Κάστορας και κοίταξε επίμονα τα τρία παιδιά · τα λόγια που ετοιμάζονταν να πουν έσβησαν πριν τα ξεστομίσουν, και το καθένα ένιωσε άξαφνα μέσα του απόλυτα βέβαιο πως αυτό ακριβώς είχε κάνει ο Έντμουντ.

«Ναι, αλλά ξέρει το δρόμο;» είπε ο Πήτερ.

« Έχει ξανάρθει στη Νάρνια;» ρώτησε ο κύριος Κάστορας. « Έχει ξανάρθει μόνος του;».

«Ναι», έκανε η Λούσυ, σχεδόν ψιθυριστά. «Φοβάμαι πως ναι».

«Σας είπε τι έκανε ή ποιον συνάντησε;».

« Α, όχι, τίποτε δεν είπε», έκανε η Λούσυ.

«Τότε να μου το θυμηθείτε», είπε ο κύριος Κάστορας. « Έχει συναντήσει τη Λευκή Μάγισσα και πήγε με το μέρος της και κείνη του 'πε πού μένει. Δεν ήθελα να κάνω λόγο πιο μπροστά (αφού είναι αδερφός σας και τα λοιπά και τα λοιπά), όμως από την πρώτη στιγμή που τον είδα είπα μέσα μου, "Προδότης". Είχε την όψη ανθρώπου που πήγε με τη Βασίλισσα κι έφαγε το φαΐ της. Πάντα τους ξεχωρίζεις, αν έχεις ζήσει πολύ στη Νάρνια· κάτι στα μάτια τους...».

«Όπως και να 'ναι» είπε ο Πήτερ με πνιγμένη φωνή, «θα πρέπει να πάμε να τον βρούμε. Στο κάτω κάτω, αδερφός μας είναι, κι ας αποδείχτηκε τέτοιο τερατάκι. Κι ύστερα, είναι μικρό παιδί».

«Να πάτε στο Σπίτι της Μάγισσας;» είπε η κυρία Καστορίνα. «Μα δεν καταλαβαίνετε λοιπόν; Η μόνη ελπίδα για να τον σώσετε ή να σωθείτε, είναι να μην την πλησιάσετε!».

«Δηλαδή;» είπε η Λούσυ.

«Χρυσά μου, το μόνο που θέλει εκείνη είναι να σας πιάσει και τους τέσσερις (δε βγάζει βλέπετε απ' το νου της τους τέσσερις θρόνους του Κάιρ Πάραβελ). Κι αν μπείτε όλοι σπίτι της η δουλειά της έγινε – θα βάλει τέσσερα καινούρια αγάλματα στη συλλογή της, ώσπου να πεις τρία. Όσο έχει όμως τον ένα μόνο, θα τον κρατήσει ζωντανό, γιατί θα τον χρειαστεί για δόλωμα· δόλωμα να πιάσει και τους υπόλοιπους».

« Αχ κανείς λοιπόν δε μπορεί να μας βοηθήσει; κλαψούρισε η Λούσυ.

«Μόνο ο Ασλάν», είπε ο κύριος Κάστορας. «Πρέπει να πάμε να τον βρούμε. Τώρα, αυτός είναι η μόνη μας ελπίδα».

·« Εγώ νομίζω, χρυσά μου» είπε η κυρία Καστορίνα, «ότι αυτό που έχει τη μεγαλύτερη σημασία για σας, είναι να θυμηθείτε πότε ακριβώς έφυγε. Το πόσα μπορεί να της πει, εξαρτάται από το πόσα άκουσε.

87

Ας πούμε, είχατε αρχίσει να μιλάτε για τον Ασλάν πριν φύγει; Αν όχι, τότε μπορεί να τα καταφέρουμε καλύτερα, γιατί εκείνη δεν θα ξέρει πως ο Ασλάν γύρισε στη Νάρνια, ούτε πως θα τον συναντήσουμε, κι έτσι θα μείνει αρκετά ξέγνοιαστη γι' αυτό».

«Δε θυμάμαι να 'ταν εδώ όταν μιλούσαμε για τον Ασλάν—» άρχισε ο Πήτερ, μα η Λούσυ τον έκοψε.

« Α ναι, εδώ ήτανε!» έκανε λυπημένη. «Δε θυμάσαι που ρώτησε αν μπορεί να κάνει και τον Ασλάν πέτρα η Μάγισσα;».

«Σα να 'χεις δίκιο!» είπε ο Πήτερ. «Και βέβαια, τι άλλο περιμέναμε να πει;».

« Από το κακό στο χειρότερο!» είπε ο κύριος Κάστορας. Για θυμηθείτε όμως και κάτι άλλο: Ήταν ακόμα εδώ όταν σας είπα ότι θα συναντήσουμε τον Ασλάν στο Πέτρινο Τραπέζι;».

Και βέβαια εδώ κανείς δεν ήξερε να του απαντήσει.

«Γιατί αν ήταν» συνέχισε ο κύριος Κάστορας, «η Μάγισσα θα ξεκινήσει με το έλκηθρό της κατά κει, θα μπει ανάμεσα σε μας και στο Πέτρινο Τραπέζι, και θα μας πιάσει στο δρόμο. Έτσι θα χάσουμε τον Ασλάν».

« Αποκλείεται να κάνει αυτό πρώτα», είπε η κυρία Καστορίνα. « Αν την ξέρω καλά, αποκλείεται. Μόλις ο Έντμουντ της πει πως όλοι βρισκόμαστε εδώ, θα ξεκινήσει να μας πιάσει απόψε κιόλας, κι αν είναι φευγάτος μισή ώρα τώρα, σε άλλα είκοσι λεπτά η Μάγισσα θα έχει φτάσει εδώ».

«Πολύ σωστά κυρία Καστορίνα», είπε ο άντρας της. «Πρέπει να τα μαζεύουμε. Δεν έχουμε καιρό για χάσιμο».

Στο σπίτι της μάγισσας

Και τώρα θα θέλετε να μάθετε το δίχως άλλο τι απόγινε ο Έντμουντ. Ο φίλος μας λοιπόν έφαγε με την ψυχή του στο τραπέζι, αλλά δεν το φχαριστήθηκε στ᾽ αλήθεια, γιατί όλη την ώρα είχε το νου του στα λουκούμια – και τίποτα δε χαλάει τη γεύση του καλού συνηθισμένου φαγητού, όσο η ανάμνηση του καλού μαγικού φαγητού. Έπειτα, η συζήτηση που άκουσε δεν του άρεσε καθόλου, γιατί πίστευε πως κανείς δεν τον προσέχει και όλοι τον κάνουν πέρα. Αυτό βέβαια δεν ήταν αλήθεια, μα ο Έντμουντ έτσι φανταζόταν. Και στο τέλος, μόλις άκουσε από τον κύριο Κάστορα για τον Ασλάν και για το σχέδιο να τον συναντήσουν στο Πέτρινο Τραπέζι, άρχισε να τραβιέται λίγο λίγο, όσο πιο αθόρυβα μπορούσε, κατά την κουρτίνα που κρεμότανε μπροστά στην πόρτα. Γιατί στο άκουσμα του Ασλάν ένιωθε κάτι μυστήριο και φριχτό, όπως οι άλλοι ένιωθαν παράξενα και υπέροχα.

Την ώρα λοιπόν που ο κύριος Κάστορας τους έλεγε

το χρησμό για *τη σάρκα και το αίμα του Αδάμ,* ο Έν-
τμουντ γύρισε σιγανά το χερούλι και, πριν προλάβει ν'
ακούσει πως η Λευκή Μάγισσα δεν ήταν άνθρωπος,
αλλά μισή Τζιν και μισή γιγάντισσα, είχε βγει κιόλας
έξω στα χιόνια κι έκλεινε πίσω του την πόρτα, πολύ
προσεχτικά.

Μήτε τώρα θα πρέπει όμως να σκεφτείτε πως ο Έν-
τμουντ ήτανε τόσο κακός, κι ήθελε να δει πετρωμένα
τ' αδέρφια του. Αυτός μόνο λουκούμια γύρευε, και θα
του άρεσε να γίνει Πρίγκιπας (κι αργότερα Βασιλιάς)
και να του το πληρώσει του παλιο-Πήτερ που τον είπε
τέρας. Όσο για την τύχη των άλλων στα χέρια της
Μάγισσας... Ε, βέβαια δεν ήθελε να τους καλοπιάσει
και πολύ – πού ακούστηκε, να τους βάλει ίσα κι όμοια
με την αφεντιά του! Κατάφερε όμως να πιστέψει – ή
μάλλον έκανε πως πιστεύει – ότι δε θα τους κάνει τί-
ποτα πολύ κακό γιατί, έλεγε μέσα του, ότι «όλες αυτές
τις ιστορίες τις σκάρωσαν οι εχθροί της, κι ίσως οι
μισές να 'ναι ψέματα. Στο κάτω κάτω, εμένα μου φέρ-
θηκε θαυμάσια, ή τέλος πάντων πιο καλά από κεί-
νους. Εγώ νομίζω πως είναι αληθινή Βασίλισσα. Και
πάντως θα 'ναι καλύτερη από κείνο τον τρομερό τον
Ασλάν!». Έτσι κατάφερε να βρει μια δικαιολογία για
τα καμώματά του. Δεν ήταν ωστόσο και πολύ σπου-
δαία δικαιολογία, γιατί κάτι του 'λεγε, βαθιά μέσα
του, πως η Λευκή Μάγισσα είναι στ' αλήθεια κακιά
και σκληρή.

Το πρώτο που κατάλαβε μόλις βγήκε κι ένιωσε το
χιόνι να πέφτει γύρω του, ήταν πως ξέχασε το πανω-
φόρι του στο σπίτι του Κάστορα. Για να γυρίσει όμως
πίσω να το πάρει, ούτε λόγος! Κατάλαβε όμως και
κάτι άλλο: το φως είχε χαθεί, γιατί κόντευαν τρεις
όταν κάθισαν στο τραπέζι, και το χειμώνα οι μέρες

είναι μικρές. Αυτό δεν το 'χε λογαριάσει, μα έπρεπε να βάλει τα δυνατά του. Σήκωσε λοιπόν το γιακά του και πέρασε σέρνοντας από το φράγμα (που για καλή του τύχη, δε γλιστρούσε πια, με το φρέσκο χιόνι που είχε στρώσει), ως την άλλη όχθη του ποταμού.

Τότε όμως τα πράγματα δυσκόλεψαν για τα καλά. Από στιγμή σε στιγμή το σκοτάδι πύκνωνε· και, θες το φως που λιγόστευε, θες οι χιονοστιβάδες που πετούσαν ολόγυρα, δεν έβλεπε ούτε τη μύτη του. Άσε

που δεν είχε μήτε δρόμο. Κάθε λίγο έπεφτε σε πηχτούς χιονοστρόβιλους, γλιστρούσε σε παγωμένες λακούβες, σκόνταφτε σε πεσμένα δέντρα, κατρακυλούσε στις απόκρημνες όχθες, έγδερνε τα πόδια του στα κοτρώνια, ώσπου έγινε μουσκίδι και ξεπάγιασε και γέμισε μελανιές και γρατζουνιές. Βασίλευε απέραντη σιωπή και φοβερή ερημιά. Για να λέμε την αλήθεια, μπορεί και να ξεχνούσε το σχέδιό του και να γύριζε πίσω να φιλιώσει με τους άλλους, αν δεν έλεγε όλη την ώρα μέσα του, « Όταν γίνω βασιλιάς της Νάρνια, το πρώτο που θα φτιάξω θα είναι μερικοί δρόμοι της προκοπής». Και βέβαια άρχιζε τότε να σκέφτεται πως θα γίνει βασιλιάς και τι θα κάνει, κι έστρωνε λιγάκι το κέφι του. Είχε αποφασίσει μάλιστα από τώρα πώς θα είναι το παλάτι του και πόσα αμάξια θα έχει, και δικό του κινηματογράφο, κι από πού θα περνούσαν τα τραίνα και τι νόμους θα θέσπιζε για τους κάστορες και τα φράγματα, κι έπειτα έπιασε να συμπληρώνει τα σχέδιά του για να βάλει τον Πήτερ στη θέση του, όταν ξάφνου γύρισε ο καιρός. Πρώτα πρώτα, το χιόνι σταμάτησε. Έπειτα σηκώθηκε ένας άνεμος παγωμένος και τσουχτερός. Καμιά φορά, τα σύννεφα παραμέρισαν και βγήκε το φεγγάρι. Ήταν πανσέληνος και καθώς άστραψε πάνω απ' όλα τούτα τα χιόνια, έκανε τον τόπο να φέγγει σα να 'ταν μέρα – μόνο οι σκιές σε μπέρδευαν λιγάκι.

Ποτέ του δε θα 'βρισκε το δρόμο αν δεν έβγαινε το φεγγάρι ίσα ίσα τη στιγμή που έφτανε στο άλλο ποτάμι. (Θα θυμόσαστε σίγουρα πως, φτάνοντας στο σπίτι του Κάστορα, είχε δει ένα μικρότερο ποτάμι που χυνόταν στο μεγάλο, λίγο παρακάτω). Το 'φτασε λοιπόν τώρα κι έπιασε ν' ανηφορίζει κατά τις πηγές του. Όμως η μικρή κοιλάδα όπου περνούσε το ποταμάκι ήταν πολύ πιο απότομη και γεμάτη βράχια από την άλλη που είχε αφήσει πίσω του · θάμνοι πυκνοί και άγριοι τη σκέπαζαν, κι αν ήταν σκοτεινά δε θα κατάφερνε τίποτα. Και πάλι όμως, μούσκεψε ως το κόκαλο γιατί έπρεπε να περπατάει σκυφτός κάτω από τα κλαδιά, και το χιόνι που τα σκέπαζε γλιστρούσε κι έπεφτε στην πλάτη του. Και κάθε φορά που γινόταν αυτό, σκεφτόταν όλο και πιο πολύ πόσο μισούσε τον Πήτερ – λες κι ο Πήτερ έφταιγε για όλα τούτα.

Με τα πολλά έφτασε σ' ένα μέρος όπου το έδαφος γινόταν πιο ομαλό, κι είδε την κοιλάδα ν' ανοίγει. Και πέρα, στην άλλη όχθη του ποταμού, στη μέση μιας μικρής πεδιάδας ανάμεσα σε δύο λόφους, αντίκρισε το σπίτι της Λευκής Μάγισσας. Άστραψε τότε το φεγγάρι πιο πολύ από πρώτα. Το σπίτι, για να λέμε το σωστό, έμοιαζε μάλλον με μικρό κάστρο. Του φάνηκε γεμάτο πύργους· πύργους μικρούς, με μακριές σουβλερές στέγες, ίδιες βελόνες. Έμοιαζαν με μεγάλα

σκουφιά, ή από κείνα τα καπέλα που φοράνε οι μάγοι. Και καθώς έλαμπαν στο φεγγαρόφωτο, οι μακριές σκιές τους πέφταν παράξενες πάνω στο χιόνι. Ο Έντμουντ άρχισε να το φοβάται αυτό το Σπίτι.

Τώρα πια ήταν όμως πολύ αργά για να γυρίσει πίσω. Πέρασε το ποτάμι πατώντας πάνω στους πάγους και πλησίασε. Τίποτα δε σάλευε· μήτε ο παραμικρός ήχος πουθενά. Το βήμα του πνιγόταν στο παχύ φρέσκο χιόνι. Πήγαινε κι όλο πήγαινε, γωνιά τη γωνιά, πύργο τον πύργο, ώσπου να φτάσει στη μεγάλη πύλη. Χρειάστηκε να κάνει όλο το γύρο ως την άλλη μεριά για να τη βρει. Η πύλη έφτιαχνε μια πελώρια αψίδα, κι η μεγάλη σιδερόφραχτη πόρτα ήταν ορθάνοιχτη.

Ο Έντμουντ ζύγωσε προσεχτικά και κοίταξε μέσα, στην αυλή· το θέαμα που αντίκρισε έκανε την καρδιά του να σταματήσει. Πίσω ακριβώς από την πύλη, λουσμένο στο φεγγαρόφωτο, στεκόταν ένα πελώριο λιοντάρι, συσπειρωμένο, λες κι ετοιμαζόταν να χυμήξει. Ο Έντμουντ ζάρωσε στη σκιά της αψίδας· φοβότανε να προχωρήσει, φοβόταν και να κάνει πίσω, τα γόνατά του τρέμαν. Έμεινε έτσι κάμποση ώρα, τόση που τα δόντια του θα χτυπούσαν από το κρύο, αν δε χτυπούσαν κιόλας από το φόβο. Δεν ξέρω να σας πω πόσο πρέπει να κράτησε αυτό – του Έντμουντ πάντως του φάνηκε πως πέρασαν ώρες.

Στο τέλος όμως άρχισε ν' αναρωτιέται γιατί στεκόταν έτσι ασάλευτο το λιοντάρι – αφού δεν είχε κάνει ρούπι απ' όταν το πρωτοαντίκρισε. Ξεθάρρεψε τότε λιγάκι και πλησίασε ένα βήμα ακόμα, κρυμμένος πάντα στη σκιά της αψίδας. Το λιοντάρι ήταν γυρισμένο αλλού, αδύνατο να τον είχε δει. («Κι αν γυρίσει ξαφνικά το κεφάλι του;» σκέφτηκε ο Έντμουντ). Το λιοντάρι όμως κοιτούσε ένα μικρό νάνο, κάνα μέτρο πιο πέρα, που του είχε γυρισμένες τις πλάτες. «Αχά!», σκέφτηκε ο Έντμουντ. «Μόλις χυμήξει λοιπόν στο νάνο, εγώ θα προφτάσω να το βάλω στα πόδια». Ωστόσο μήτε το λιοντάρι σάλεψε, μήτε ο νάνος. Και τότε ο Έντμουντ θυμήθηκε επιτέλους τι του είχαν πει για τη Λευκή Μάγισσα, που έκανε πέτρα όποιον ήθελε. Πέτρινο ήταν το λιοντάρι! Και μόλις το σκέφτηκε, πρόσεξε το χιόνι που του σκέπαζε τη ράχη και το κεφάλι του. Και βέβαια ήταν άγαλμα! Ποιο ζων-

τανό αγρίμι θα στεκόταν ασάλευτο να γεμίσει χιόνια;
Κι έτσι λοιπόν, αργά κι αθόρυβα, με την καρδιά του
να χτυπάει τρελά, ο Έντμουντ τόλμησε να πλησιάσει
το λιοντάρι. Μήτε τότε όμως βρήκε το θάρρος να το
πιάσει· χρειάστηκε να βάλει τα δυνατά του για ν'
απλώσει το χέρι του και να το αγγίξει στα γρήγορα.
Ήτανε κρύα κρύα πέτρα. Τι κουταμάρα να φοβηθεί
ένα άγαλμα!
    Ένιωσε τέτοια ανακούφιση που, μ' όλο το κρύο,
ζεστάθηκε μεμιάς απ' την κορφή ως τα νύχια· την
ίδια στιγμή, του κατέβηκε μια ιδέα, που τη βρήκε
αμέσως καταπληκτική. «Να δεις», είπε μέσα του,
«πως γι' αυτό το μεγάλο λιοντάρι μιλούσαν και το 'λε-
γαν Ασλάν. Για κοίτα φίλε μου! Τον τσάκωσε κιόλας
και τον έκανε πέτρα. Τέρμα λοιπόν τα παραμύθια για
την αφεντιά του! Πουφ! Ποιος φοβάται τώρα τον Ασ-
λάν;».
    Και καθώς στεκόταν και κοίταζε με κακία το πε-
τρωμένο λιοντάρι, του 'ρθε να κάνει κάτι πολύ κουτό
και παιδιάστικο. Έβγαλε από την τσέπη του ένα κου-
τσουμπό μολυβάκι και ζωγράφισε μουστάκι στο πά-
νωχείλι του λιονταριού και γυαλιά στα μάτια του.
Έπειτα είπε, «Λοιπόν, χαζέ γερο- Ασλάν, σ' αρέσει
που πέτρωσες; Έλεγες πως είσαι σπουδαίος, ε;».
    Ωστόσο, μ' όλες τις μουντζούρες στο πρόσωπό του, το
μεγάλο πέτρινο θηρίο έμοιαζε ακόμα τρομερό και λυ-
πημένο κι ευγενικό, με τα μάτια στυλωμένα ψηλά, στο
φεγγαρόφωτο, κι ο Έντμουντ δεν το φχαριστήθηκε
στ' αλήθεια που το κορόιδεψε. Το άφησε λοιπόν, και
προχώρησε στην αυλή.
    Είχε φτάσει στη μέση περίπου, όταν πρόσεξε πως
είχε δεκάδες αγάλματα ολόγυρα – παντού αγάλματα,
όπως τα πιόνια στη σκακιέρα, σ' ένα μισαρχινισμένο

παιχνίδι. Είχε πέτρινους σάτυρους και πέτρινους λύκους, είχε αλεπούδες και αρκούδες και αγριόγατες, όλα πέτρινα. Είχε όμορφες πετρωμένες μορφές που έμοιαζαν με γυναίκες, αλλά στην πραγματικότητα ήταν τα πνεύματα των δέντρων. Είχε έναν πελώριο κένταυρο κι ένα φτερωτό άλογο κι ένα πλάσμα μακρύ και λιγνό, που ο Έντμουντ το πήρε για δράκο. Φαίνονταν όλα τόσο παράξενα, ασάλευτα μα τόσο ζωντανά μέσα στο δυνατό κρύο φως του φεγγαριού, που σ' έπιανε ανατριχίλα να περνάς ανάμεσά τους. Στη μέση της αυλής στεκόταν κάτι πελώριο, ένας άντρας ψηλός σα δέντρο, με άγριο πρόσωπο και πυκνή γενειάδα κι ένα μεγάλο ρόπαλο στο δεξί του χέρι. Ο Έντμουντ ήξερε βέβαια πως ο γίγαντας ήταν πέτρινος κι όχι ζωντανός, αλλά και πάλι δεν του πολυάρεσε να περάσει από κοντά του.

Τότε ακριβώς πήρε το μάτι του ένα αχνό φωτάκι, στην άλλη άκρη της αυλής. Πλησιάζοντας είδε μια πόρτα μισάνοιχτη και μια πέτρινη σκάλα. Ανέβηκε διστακτικά τα σκαλιά. Στο κατώφλι ήτανε ξαπλωμένος ένας θεόρατος λύκος.

«Έλα τώρα», έλεγε και ξανάλεγε μέσα του. «Είναι πέτρινος κι ο λύκος, δε θα σου κάνει τίποτα». Και σήκωσε το πόδι του να τον δρασκελίσει. Την ίδια στιγμή, το πελώριο αγρίμι τινάχτηκε πάνω, μ' όλες τις τρίχες ορθωμένες στη ράχη του, άνοιξε ένα μεγάλο κατακόκκινο στόμα και μούγκρισε βαθιά: «Ποιος είναι; Ποιος είναι; Μην κουνηθείς, ξένε, και πες μου ποιος είσαι».

«Με συγχωρείτε, καλέ μου κύριε», είπε ο Έντμουντ που από την τρεμούλα του δεν κατάφερνε μήτε να μιλήσει σωστά. «Με λένε Έντμουντ και είμαι Γιος του Αδάμ και η Αυτή Μεγαλειότης με συνάντησε στο

97

δάσος τις προάλλες και ήρθα να της πω τα νέα πως τα αδέρφια μου είναι στη Νάρνια – να, εδώ κοντά, στο σπίτι του Κάστορα. Ήθελε – ήθελε να τα δει».

«Θα το πω στη Μεγαλειότητά της», είπε ο Λύκος. «Στο μεταξύ, αν αγαπάς τη ζωή σου, μην το κουνήσεις από το κατώφλι». Και τρύπωσε στο σπίτι.

Ο Έντμουντ στάθηκε και περίμενε, τα δάχτυλά του πονούσαν απ' το κρύο κι η καρδιά του βροντούσε να σπάσει. Σε λίγο ο γκρίζος λύκος, ο Μώγκριμ, Αρχηγός της Μυστικής Αστυνομίας της Μάγισσας, ξαναγύρισε βαριοπατώντας: «Περάστε! Περάστε!», του είπε. «Περάστε καλότυχε ευνοούμενε της Βασίλισσας – δηλαδή, ο λόγος το λέει το καλότυχε!».

Ο Έντμουντ πέρασε προσέχοντας να μην πατήσει το πόδι του Λύκου.

Βρέθηκε τότε σε μια πελώρια μισοσκότεινη αίθουσα γεμάτη κολόνες και αγάλματα, όπως κι η αυλή. Κοντά στην πόρτα στεκόταν ένας μικρούλης φαύνος, με πολύ λυπημένο μουτράκι, κι ο Έντμουντ αναρωτήθηκε μήπως είναι ο φίλος της Λούσυ.

Το μοναδικό φως εκεί μέσα έβγαινε από μια λάμπα, και δίπλα της καθόταν η Λευκή Μάγισσα.

«Εδώ είμαι, Μεγαλειοτάτη!» είπε ο Έντμουντ με φόρα, και προχώρησε μπροστά.

«Πώς τόλμησες να έρθεις μόνος;» φώναξε η Μάγισσα με τρομερή φωνή. «Δε σου είπα να φέρεις και τους άλλους;».

«Με την άδειά σας, Μεγαλειοτάτη», είπε ο Έντμουντ, «έκανα το καλύτερο που γινόταν. Τους έφερα πολύ κοντά. Τώρα θα βρίσκονται στο σπιτάκι, στην κορφή του φράγατος, πέρα στο ποτάμι – μαζί με τον Κάστορα και την Καστορίνα».

Ένα άγριο χαμόγελο χαράχτηκε αργά στο πρόσωπο της Μάγισσας.

«Μόνο αυτό έχεις να μου πεις;» ρώτησε.

«Όχι, Μεγαλειοτάτη», είπε ο Έντμουντ, κι έπιασε να της εξιστορεί όσα άκουσε πιο πριν στο σπίτι του Κάστορα.

«Τι έκανε λέει! Ο Ασλάν;» φώναξε η Βασίλισσα. «Ο Ασλάν; Μου λες αλήθεια; Πρόσεξε γιατί αν μάθω ότι είπες ψέματα – ».

«Με την άδειά σας», τραύλισε ο Έντμουντ. «Εγώ αυτά άκουσα, αυτά σας λέω».

Μα η Βασίλισσα δεν τον πρόσεχε πια. Χτύπησε τα χέρια της και στη στιγμή φάνηκε ο ίδιος νάνος που είχε ξαναδεί ο Έντμουντ.

«Να ετοιμάσεις το έλκηθρό μας», πρόσταξε η Μάγισσα. «Και να βάλεις λουριά δίχως κουδουνάκια».

Τα μάγια αρχίζουν να λύνονται

Ας γυρίσουμε όμως τώρα στον Κάστορα, την Καστορίνα, και τ' άλλα τρία παιδιά. Μόλις είπε ο κύριος Κάστορας, «Δεν έχουμε καιρό για χάσιμο», άρχισαν όλοι να κουκουλώνονται με τα πανωφόρια τους, όλοι, εκτός από την κυρία Καστορίνα, που μάζεψε τα σακούλια της, τα 'βαλε στο τραπέζι και είπε, «Και τώρα, κύριε Κάστορα, κατέβασέ μου εκείνο το χοιρομέρι. Εγώ παίρνω ένα πακετάκι τσάι και ζάχαρη και σπίρτα. Κι αν θέλεις μου πιάνεις και δυο τρία καρβέλια ψωμί από το κιούπι εκειπέρα στη γωνιά».

«Μα τι κάνετε τέτοια ώρα;» φώναξε η Σούζαν.

«Πρέπει να ετοιμάσω ένα σακούλι για τον καθένα μας, χρυσό μου», είπε η κυρία Καστορίνα ατάραχη. «Λες να ξεκινήσουμε για ταξίδι χωρίς φαΐ;».

«Δεν έχουμε καιρό!» είπε η Σούζαν κουμπώνοντας το γιακά του πανωφοριού της. « Από στιγμή σε στιγμή θα βρίσκονται εδώ».

«Αυτό λέω και γω», είπε ο κύριος Κάστορας.

«Μπα σε καλό σας!» είπε η γυναίκα του. «Για σκέψου το καλά, κύριε Κάστορα, μας μένει τουλάχιστον ένα τέταρτο ακόμα».

«Πρέπει όμως να ξεκινήσουμε όσο πιο γρήγορα γίνται», είπε ο Πήτερ, «για να φτάσουμε στο Πέτρινο Τραπέζι πριν από κείνην».

«Μην ξεχνάτε, κυρία Καστορίνα, πως μόλις ψάξει εδώ και δε μας βρει, θα ξεκινήσει ολοταχώς για κει», είπε η Σούζαν.

«Και βέβαια», είπε η κυρία Καστορίνα. «Έτσι κι αλλιώς όμως, αποκλείεται να φτάσουμε πρώτοι, ό,τι κι αν κάνουμε, γιατί εκείνη έχει έλκηθρο κι εμείς μόνο τα πόδια μας».

«Δηλαδή – δεν υπάρχει καμιά ελπίδα;» είπε η Σούζαν.

«Μην ανησυχείς, χρυσό μου», είπε η κυρία Καστορίνα, «και φέρε μου καμιά δεκαριά καθαρά μαντίλια από κείνο το συρτάρι. Και βέβαια υπάρχει ελπίδα. Πριν από κείνην δεν μπορούμε να πάμε, αλλά θα κρυφτούμε και θα τρυπώσουμε από δρόμους που δεν ξέρει, κι ίσως τα καταφέρουμε».

«Δίκιο έχεις, κυρία Καστορίνα», είπε ο άντρας της. «Καιρός να φεύγουμε όμως».

«Μην αρχίζεις τώρα και συ τη μουρμούρα, κύριε Κάστορα», είπε η γυναίκα του. « Ορίστε. Σαν καλά τα φτιάξαμε. Τέσσερα μπογαλάκια κι ένα μικρό για το μικράκι μας: εσένα χρυσό μου», πρόσθεσε κοιτάζοντας τη Λούσυ.

« Αχ ελάτε βιαστείτε», είπε η Λούσυ.

«Καλά, καλά, κοντεύω», απάντησε η κυρία Καστορίνα, κι άφησε τον άντρα της να της φορέσει τις γαλότσες της. «Λέτε να είναι βαριά στο κουβάλημα η ραπτομηχανή μου;».

«*Δε θέλει ρώτημα!*» είπε ο κύριος Κάστορας. «Είναι ασήκωτη. Κι ύστερα, μήπως θαρρείς ότι θα ράβεις στο δρόμο;».

«Δεν αντέχω στη σκέψη πως θα την αγγίξει η Μάγισσα», είπε η κυρία Καστορίνα, «πως θα την κλέψει ή θα μου τη σπάσει!».

«Σας παρακαλούμε, επιτέλους, κάντε γρήγορα», είπαν τα τρία παιδιά. Με τα πολλά βγήκαν όλοι και ο

κύριος Κάστορας κλείδωσε την πόρτα («Αυτό θα τη χασομερήσει λιγάκι», είπε), κι όλοι ξεκίνησαν με τα σακούλια στον ώμο.

Είχε σταματήσει το χιόνι και βγήκε το φεγγάρι καθώς ξεκινούσαν για το ταξίδι τους. Πήγαιναν ένας ένας: πρώτα ο κύριος Κάστορας, πίσω του η Λούσυ, έπειτα ο Πήτερ, μετά η Σούζαν, και τελευταία η κυρία Καστορίνα. Ο κύριος Κάστορας, με τους υπόλοιπους το κατόπι του, πέρασε το φράγμα, βγήκε στη δεξιά όχθη του ποταμού, έκοψε δρόμο από 'να απότομο μονοπάτι ανάμεσα στα δέντρα και βγήκαν πέρα, χαμηλά στην ακροποταμιά. Ψηλά από πάνω τους, δεξιά κι αριστερά, ορθώνονταν οι πλαγιές της κοιλάδας γυαλοκοπώντας στο φως του φεγγαριού. «Καλύτερα να πηγαίνουμε από τα χαμηλά», είπε ο Κάστορας. «Η Μάγισσα θα πάρει τον πάνω δρόμο, εδώ δεν κατεβαίνει έλκηθρο».

Η σκηνή θα 'ταν όμορφη – αν την κοιτούσες από το παράθυρό σου, βολεμένος στην αναπαυτική σου πολυθρόνα· μα κι έτσι ακόμα, η Λούσυ το φχαριστήθηκε στην αρχή. Πήγαιναν όμως κι όλο πήγαιναν, χωρίς σταματημό, και το σακούλι που κρατούσε άρχισε να της φαίνεται όλο και πιο βαρύ, και τότε σκέφτηκε πως ίσως και να μην κατάφερνε να συνεχίσει. Δεν κοίταζε πια την εκτυφλωτική γυαλάδα του παγωμένου ποταμού, με τους καταρράχτες από παγοκρύσταλλα, μήτε τους άσπρους όγκους των δέντρων και το μεγάλο γυαλιστερό φεγγάρι, μήτε τ' αμέτρητα αστέρια ψηλά· έβλεπε μόνο τα κοντούτσικα ποδαράκια του Κάστορα που προχωρούσαν πατ-πατ-πατ-πατ μέσα στο χιόνι, ίσια μπροστά της, κι έλεγε πως δε θα σταματήσουν ποτέ. Έπειτα το φεγγάρι κρύφτηκε κι έπιασε πάλι να χιονίζει. Η Λούσυ ένιωθε τόσο κουρασμένη, που είχε μισοκοιμηθεί περπατώντας, ώσπου ξαφνικά κατάλαβε πως ο κύριος Κάστορας ξεμάκραινε στα δεξιά της όχθης και τους οδηγούσε σε μιαν απότομη ανηφοριά, ανάμεσα σε πυκνούς θάμνους. Κι όταν ξύπνησε πια για καλά, ανακάλυψε πως ο κύριος Κάστορας τρύπωνε σ' ένα άνοιγμα της όχθης, τόσο καλά κρυμμένο κάτω από τους θάμνους, που δεν το έβλεπες ώσπου να φτάσεις από πάνω του. Κι ώσπου να καταλάβει τι συμβαίνει, μόνο η άκρη της κοντόφαρδης ουράς του περίσσευε απ' την τρύπα.

Η Λούσυ έσκυψε αμέσως και σύρθηκε το κατόπι του. Πίσω της άκουγε σουρσίματα και λαχανιάσματα και ξεφυσήματα, και την άλλη στιγμή βρέθηκαν μέσα και οι πέντε.

«Πού βρισκόμαστε;» είπε η φωνή του Πήτερ. Στο σκοτάδι έμοιαζε κουρασμένη και χλωμή. (Φαντάζομαι πως καταλαβαίνετε τι εννοώ όταν μιλάω για χλωμή φωνή).

«Είναι μια παλιά κρυψώνα για κάστορες σε δύσκολους καιρούς», είπε ο κύριος Κάστορας, «και βέβαια μυστική. Δεν είναι τίποτα σπουδαίο, αλλά πρέπει να κοιμηθούμε λιγάκι».

« Αν δε με σκοτίζατε με τις γκρίνιες σας όταν ξεκινούσαμε, θα είχα φέρει και μερικά μαξιλάρια», είπε η κυρία Καστορίνα.

Η σπηλιά δεν ήτανε τόσο συμπαθητική όπως του κυρίου Τούμνους, έτσι της φάνηκε της Λούσυ. Μια σκέτη τρύπα κάτω απ' τη γη, αλλά στεγνή και στρωμένη χώμα. Δεν είχε πολύ χώρο, κι όταν πλάγιασαν έγιναν όλοι ένα κουβάρι καστορίσιες γούνες και ρούχα· κάτι το στρίμωγμα, κάτι το ζέσταμα από το μακρύ δρόμο που είχαν κάνει, ένιωθαν βολεμένοι και νυσταγμένοι. Μονάχα να 'ταν λίγο πιο ίσιο το πάτωμα της σπηλιάς! Τότε η κυρία Καστορίνα τους έδωσε στα σκοτεινά ένα μικρό φλασκί κι ήπιανε κάτι – κάτι που σ' έκανε να βήξεις και να πνιγείς και τσιμπούσε στο λαιμό, αλλά ένιωθες υπέροχη ζεστασιά μόλις το κατάπινες – κι όλοι αποκοιμήθηκαν βαθιά.

Της Λούσυ της φάνηκε πως είχε περάσει μονάχα ένα λεπτό (αν και, στην πραγματικότητα, ήταν ώρες αργότερα), όταν ξύπνησε· ένιωθε μουδιασμένη και παγωμένη, και σκέφτηκε αμέσως τι καλό που θα 'ταν ένα ζεστό μπάνιο. Τότε όμως ένιωσε κάτι μακριές φα-

104

δορίτες να της γαργαλάνε το μάγουλο κι είδε το κρύο φως της μέρας να μπαίνει από το άνοιγμα της σπηλιάς. Ξύπνησε για καλά, κι είδε πως ήταν ξύπνιοι κι οι άλλοι. Για την ακρίβεια, είχαν ανακαθίσει όλοι με τα στόματα και τα μάτια ορθάνοιχτα, κι αφουγκράζονταν έναν ήχο, που τον σκέφτονταν (και καμιά φορά φαντάζονταν πως τον άκουγαν) στο δρόμο την περασμένη νύχτα. Κάπου εκεί κοντά, χτυπούσαν κουδουνάκια.

Ο κύριος Κάστορας πετάχτηκε σαν αστραπή έξω από τη σπηλιά, την ίδια κιόλας στιγμή. Ίσως νομίζετε, όπως κι η Λούσυ εκείνη την ώρα, πως ήτανε μεγάλη κουταμάρα από μέρους του. Στην πραγματικότητα όμως φέρθηκε πολύ φρόνιμα. Ήξερε πως μπορούσε να σκαρφαλώσει στην όχθη, ανάμεσα στους θάμνους και τα χαμόκλαδα, χωρίς να τον δουν· κι ύστερα, έπρεπε πριν απ' όλα να μάθει για πού τραβούσε το έλκηθρο της Μάγισσας. Οι άλλοι έμειναν στη σπηλιά, δεν ήξεραν τι άλλο να κάνουν. Περίμεναν έτσι κάπου πέντε λεπτά. Και τότε άκουσαν κάτι που τους τρόμαξε για τα καλά. Πέρα, μακριά, ακούστηκαν φωνές. « Αχ, τον είδανε», σκέφτηκε η Λούσυ. «Τον έπιασε η Μάγισσα!».

Μα το σάστισμά τους μεγάλωσε όταν, σε λίγο, άκουσαν έξω από τη σπηλιά τον κύριο Κάστορα να τους φωνάζει:

«Δεν είναι τίποτα! Έλα, κυρία Καστορίνα! Ελάτε, Γιοι και Κόρες του Αδάμ! Δεν είναι η Εκείνη!». Βέβαια, από γραμματική και συντακτικό δεν πήγαινε και πολύ καλά, μα έτσι μιλάνε οι κάστορες όταν είναι ταραγμένοι· δηλαδή, στη Νάρνια, γιατί στο δικό μας κόσμο δε μιλούν καθόλου – συνήθως.

Έτσι λοιπόν η κυρία Καστορίνα και τα παιδιά βγήκαν κουτρουβαλώντας από τη σπηλιά, θαμπωμένοι από το φως, γεμάτοι χώματα, μουδιασμένοι απ' την κλεισούρα, βρόμικοι κι αχτένιστοι και με τον ύπνο στα μάτια.

« Ελάτε!» φώναζε ο κύριος Κάστορας χορεύοντας σχεδόν απ' τη χαρά του. «Τρέξτε να δείτε! Κακό που τη βρήκε τη Μάγισσα! Φαίνεται πως άρχισε κιόλας να χάνει τη δύναμή της!».

«Τι λέτε εκεί, κύριε Κάστορα;» έκανε λαχανιασμένα ο Πήτερ καθώς σκαρφάλωναν μαζί την απότομη πλαγιά της κοιλάδας.

«Δε σας έλεγα πως μας έκανε να έχουμε πάντα χειμώνα και ποτέ Χριστούγεννα;» αποκρίθηκε ο κύριος Κάστορας. «Δε σας το 'πα; Ε λοιπόν, ελάτε να δείτε με τα μάτια σας!».

Κι όταν βρέθηκαν όλοι στην κορφή, είδαν και σάστισαν.

Ήταν ένα έλκηθρο, με τάρανδους και κουδουνάκια στα χάμουρά τους. Ετούτοι δω όμως φαίνονταν πιο μεγάλοι από τους τάρανδους της Μάγισσας, κι όχι άσπροι αλλά καφετιοί. Και πάνω στο έλκηθρο καθόταν ένας άντρας, που τον γνώρισαν με την πρώτη ματιά. Ήταν πελώριος, με λαμπερή κόκκινη φορεσιά (ίδια με τα βολαράκια του ου) και κουκούλα ντυμένη με γούνα, και μια μεγάλη κατάλευκη γενειάδα που ξεχυνόταν στο στήθος του σαν αφρισμένος καταρράχτης. Όλοι τον ήξεραν, γιατί μπορεί βέβαια να βλέπεις ζωντανούς κάτι τέτοιους τύπους μονάχα στη Νάρνια, αλλά σ' όλο τον κόσμο τους ζωγραφίζουν και μιλούν γι' αυτούς – σ' όλο τον κόσμο από την εδώ μεριά της ντουλάπας. Όταν τους βλέπεις όμως από κοντά στη Νάρνια, το πράγμα αλλάζει. Μερικές εικόνες του Μπαρμπα-Χριστούγεννα (που εδώ τον λέμε

Αϊ-Βασίλη) στον κόσμο μας, τον δείχνουνε αστείο και γελαστό. Τώρα όμως που τα παιδιά τον βλέπαν με τα μάτια τους, δεν τους φάνηκε διόλου έτσι. Ήταν πελώριος, γαλήνιος και πραγματικός, κι όλοι τους άξαφνα στάθηκαν ακίνητοι. Ένιωθαν τώρα να τους πλημμυρίζει μια περίεργη χαρά και ηρεμία.

«Επιτέλους, τα κατάφερα», τους είπε. «Πάει καιρός που δε μ' άφηνε να περάσω, αλλά επιτέλους ήρθα. Ο Ασλάν βρίσκεται στο δρόμο. Τα μάγια της Βασίλισσας λύνονται».

Κι η Λούσυ ένιωσε να τη διαπερνάει ένα βαθύ χαρούμενο ρίγος, που μόνο όταν είσαι γαλήνιος κι ασάλευτος μπορείς να το νιώσεις.

«Και τώρα», είπε ο Μπαρμπα-Χριστούγεννας, «για να δούμε τα δώρα σας. Για σένα κυρία Καστορίνα, έχω μια καινούρια ραπτομηχανή, καλύτερη από την παλιά. Θα την αφήσω περνώντας απ' το σπίτι σου».

«Με την άδειά σας, κύριε», είπε η κυρία Καστορίνα και υποκλίθηκε, «το έχω κλειδωμένο».

«Μήτε κλειδαριές μήτε λουκέτα με σταματούν εμένα», είπε ο Μπαρμπα-Χριστούγεννας. «Όσο για σένα, κύριε Κάστορα, όταν γυρίσεις στο σπιτικό σου, θα βρεις το φράγμα σου διορθωμένο και τελειωμένο, με κλεισμένες όλες τις χαραμάδες και ολοκαίνουρια πορτούλα».

Ο κύριος Κάστορας χάρηκε τόσο πολύ, που άνοιξε διάπλατα το στόμα του και τότε ανακάλυψε ότι δεν μπορούσε να πει τίποτα.

«Πήτερ, Γιε του Αδάμ», είπε ο Μπαρμπα-Χριστούγεννας.

«Μάλιστα, κύριε», είπε ο Πήτερ.

«Έλα να πάρεις τα δώρα σου. Είναι εργαλεία, όχι παιχνίδια. Ζυγώνει ίσως ο καιρός που θα τα χρησιμοποιήσεις. Να τα προσέχεις». Και με τα λόγια αυτά του έδωσε ένα σπαθί και μια ασπίδα. Η ασπίδα ήταν ασημένια και στη μέση της τιναζόταν αγριεμένο ένα κατακόκκινο λιοντάρι, λαμπερό σαν τη γινωμένη φράουλα, τη στιγμή που την κόβεις. Η λαβή του σπαθιού ήταν από χρυσάφι, κι είχε θηκάρι και ζωστήρα κι όλα τα χρειαζούμενα, κι ακριβώς το σωστό μάκρος και βάρος για το ανάστημα του Πήτερ. Ο Πήτερ δέχτηκε τούτα τα δώρα γαλήνιος και σιωπηλός, γιατί κατάλαβε πως ήταν δώρα πολύ σοβαρά.

«Σούζαν, Κόρη της Εύας», είπε ο Μπαρμπα-Χριστούγεννας. «Αυτά εδώ είναι για σένα». Και της έδωσε ένα τόξο και μια φαρέτρα με βέλη, κι ένα μικρό φιλτισένιο κέρας. «Το τόξο να το χρησιμοποιήσεις μόνο σε μεγάλη ανάγκη», της είπε, «γιατί δε θέλω να πολεμήσεις στη μάχη. Τα βέλη αυτά δε θ' αστοχήσουν ποτέ. Κι όταν βάλεις στα χείλια σου το κέρας και φυσήξεις, όπου και να βρίσκεσαι, θα 'ρθει βοήθεια».

Στο τέλος φώναξε, «Λούσυ, Κόρη της Εύας», και κείνη έκανε ένα βήμα μπροστά. Της έδωσε ένα μικρό μπουκαλάκι, που έμοιαζε με γυάλινο (αλλά κατόπι της είπαν ότι είναι από διαμάντι) κι ένα μικρό μαχαίρι. «Σ' αυτό το μπουκαλάκι», της είπε, «υπάρχει ένα μαγικό φίλτρο, φτιαγμένο από το χυμό του λουλουδιού της φωτιάς που φυτρώνει στα βουνά του ήλιου. Αν πληγωθείς εσύ ή οι φίλοι σου, φτάνουν λίγες σταγόνες για να σας γιατρέψουν. Με τούτο το μαχαίρι να υπερασπιστείς τον εαυτό σου σε μεγάλη ανάγκη. Γιατί μήτε κι εσύ θα πολεμήσεις στη μάχη».

«Γιατί, κύριε;» είπε η Λούσυ. «Δε – δεν ξέρω, αλλά θαρρώ πως θα είμαι αρκετά γενναία».

«Αυτό δεν έχει σημασία», αποκρίθηκε. «Οι μάχες είναι άσκημες όταν πολεμούν και γυναίκες. Και τώρα

—» και ξάφνου έχασε το σοβαρό του ύφος – «έχω και κάτι άλλο για όλους σας, κάτι για την περίσταση!». Κι έβγαλε (μάλλον από το μεγάλο σακούλι που κουβάλαγε στη ράχη του, αν και κανείς δεν πρόλαβε να δει) ένα μεγάλο δίσκο με πέντε φλιτζανάκια και πέντε πιατάκια, ένα κουπάκι με πλακάκια ζάχαρη, ένα κανάτι παχύ γάλα και μια μεγάλη τσαγιέρα, που σφύριζε καφτή-καφτή. Έπειτα φώναξε, «Καλά Χριστούγεννα! Ζήτω ο αληθινός Βασιλιάς!» και κροτάλισε το καμουτσίκι του. Και μεμιάς, έλκηθρο, τάρανδοι και Μπαρμπα-Χριστούγεννας χάθηκαν απ᾽ τα μάτια τους πριν καλά καλά τους δουν να ξεκινάνε.

Ο Πήτερ έβγαλε το σπαθί από το θηκάρι του και το ᾽δειξε στον Κάστορα, αλλά η Καστορίνα τους έκοψε βιαστική!

«Άντε, άντε τώρα! Άμα πιάσετε κουβέντα θα παγώσει το τσάι. Αχ αυτοί οι άντρες! Εμπρός, βάλτε ένα χεράκι να κουβαλήσουμε κάτω το δίσκο για να ετοιμάσω το πρωινό μας. Καλά που σκέφτηκα να πάρω το μαχαίρι του ψωμιού».

Κι έτσι κατέβηκαν την απόκρημνη όχθη και γύρισαν στη σπηλιά, και ο κύριος Κάστορας έκοψε ψωμί και χοιρομέρι κι έφτιαξε σάντουιτς, και η κυρία Καστορίνα σερβίρισε το τσάι κι έφαγαν με την ψυχή τους. Μα πριν καλοτελειώσουν το γλέντι τους, ο κύριος Κάστορας είπε, « Εμπρός, καιρός να ξεκινάμε».

Ο Ασλάν ζυγώνει

Στο μεταξύ, τον Έντμουντ τον περίμεναν μεγάλες απογοητεύσεις. Μόλις έφυγε ο νάνος για να ετοιμάσει το έλκηθρο, περίμενε πως η Μάγισσα θα τον καλοπιάσει, σαν την άλλη φορά που τη συνάντησε. Εκείνη όμως δεν του είπε λέξη. Κι όταν καμιά φορά ο Έντμουντ μάζεψε όλο το θάρρος του και είπε, «Σας παρακαλώ, Μεγαλειοτάτη, μήπως σας περισσεύει κανένα λουκουμάκι; Μου είχατε – μου είχατε πει –» του απάντησε άγρια, «Πάψε, ανόητε!» Αμέσως όμως φάνηκε να το μετανιώνει και πρόσθεσε, σα να μιλούσε στον εαυτό της, «Πάντως δεν ωφελεί να κουβαλήσω το βρομόπαιδο λιπόθυμο στο δρόμο», και ξαναχτύπησε τα χέρια της. Στη στιγμή εμφανίστηκε άλλος νάνος.

«Φέρε στο ανθρώπινο πλάσμα φαΐ και νερό», πρόσταξε.

Ο νάνος έφυγε και ξαναγύρισε με μια τσίγκινη γαβάθα με νερό, κι ένα τσίγκινο πιατάκι μ' ένα ξεροκόμματο. Χαμογέλασε απαίσια καθώς τ' ακουμπούσε στο πάτωμα δίπλα στον Έντμουντ, και είπε:

« Ορίστε τα λουκουμάκια σας, Αρχοντόπουλό μου.
Χα! Χα! Χα!!».

«Πάρ' τα από δω», έκανε ο Έντμουντ μουτρωμέ-
νος. «Δε ζήτησα ξερό ψωμί». Όμως η Μάγισσα γύ-
ρισε κείνη τη στιγμή και τον κοίταξε, κι η όψη της
ήταν τόσο τρομερή, που ο Έντμουντ αναγκάστηκε να
γυρέψει συγνώμη, κι άρχισε να τσιμπολογάει το ψωμί
– κι ας ήτανε τόσο μπαγιάτικο που δεν πήγαινε κάτω.

«Κοίτα να το φχαριστηθείς, γιατί θα κάνεις πολύ
καιρό να ξαναδοκιμάσεις ψωμί», είπε η Μάγισσα.

Με γεμάτο στόμα τον βρήκε ο πρώτος νάνος, που
ξαναγύρισε για ν' αναγγείλει πως το έλκηθρο ήταν
έτοιμο. Η Λευκή Μάγισσα σηκώθηκε και πρόσταξε
τον Έντμουντ να την ακολουθήσει. Είχε πιάσει πάλι
να χιονίζει την ώρα που βγήκαν στην αυλή, μα η Μά-
γισσα μήτε που το πρόσεξε, κι έβαλε τον Έντμουντ να
καθίσει κοντά της στο έλκηθρο. Πριν ξεκινήσουν

όμως, φώναξε τον Μώγκριμ κι εκείνος ζύγωσε χοροπηδώντας βαριά, σαν πελώριος σκύλος, και στάθηκε πλάι της.

«Πάρε τους πιο γρήγορους λύκους σου», είπε, «και τράβα αμέσως στο σπίτι του Κάστορα. Σκότωσε όποιον βρεις εκεί. Αν είναι κιόλας φευγάτοι, ξεκίνα όσο πιο γρήγορα μπορείς για το πέτρινο τραπέζι και πρόσεξε να μη σε δούνε. Κρύψου εκεί κοντά και περίμενέ με. Εγώ θα προχωρήσω κάμποσα μίλια δυτικά, για να βρω πέρασμα στο ποτάμι. Μπορεί να τους προλάβεις πριν φτάσουν στο Πέτρινο Τραπέζι. Αν τους πετύχεις, ξέρεις τι να κάνεις!».

«Θα γίνει το θέλημά σου, Βασίλισσά μου», μούγκρισε ο Λύκος, και τινάχτηκε σκίζοντας σαν αστραπή το χιόνι και το σκοτάδι, πιο γρήγορα από άλογο που καλπάζει. Σε λίγα λεπτά και δεύτερος λύκος τον πήρε κατόπι κι ανηφόρισαν μαζί κατά το φράγμα, ακολουθώντας με τη μυρωδιά το δρόμο για το σπίτι του Κάστορα. Το βρήκαν φυσικά άδειο. Τύχη φοβερή θα περίμενε τους Κάστορες και τα παιδιά αν ήτανε ξαστεριά, γιατί οι λύκοι θα 'βρισκαν τα ίχνη τους, και σίγουρα θα τους προλάβαιναν πριν τρυπώσουν στη σπηλιά. Τώρα όμως, με το καινούριο χιόνι, η μυρωδιά τους κρύωσε και οι πατημασιές σκεπάστηκαν.

Στο μεταξύ, ο νάνος μαστίγωσε τους τάρανδους, και το έλκηθρο, με τη Μάγισσα και τον Έντμουντ, πέρασε την αψίδα και βγήκε στο παγερό σκοτάδι. Το ταξίδι ήταν τρομερό για τον Έντμουντ που δέν είχε πανωφόρι. Δεν είχαν κάνει καλά καλά δέκα λεπτά δρόμο, και γέμισε ολόκληρος χιόνι· σε λίγο έπαψε να τινάζεται γιατί δεν έβγαινε τίποτα· όσο γρήγορα κι αν έβγαζε το χιόνι από πάνω του, πάλι τον σκέπαζε ένα σωρό καινούριο, ώσπου απόκαμε πια. Ήταν μουσκεμένος ως το κόκαλο κι ένιωθε απαίσια – κι ύστερα, η Μάγισσα δε φαινόταν να 'χει καμιά διάθεση να τον κάνει Βασιλιά. Όλα όσα είχε βαλθεί να πιστέψει, πως η Βασίλισσα είναι καλή κι ευγενική κι έκανε σωστά να πάει με το μέρος της, του φαίνονταν τώρα ανόητα. Και τι δε θα 'δινε να βρισκόταν μαζί με τους άλλους εκείνη τη στιγμή – έστω και με τον Πήτερ! Το μόνο που είχε για να παρηγορηθεί, ήταν να λέει μέσα του πως όλα είναι όνειρο, πως από στιγμή σε στιγμή θα ξυπνήσει. Και καθώς ταξίδευαν ώρες ατέλειωτες, άρχισε να πιστεύει πως ονειρεύεται.

Όλα τούτα κράτησαν πολύ, πιο πολύ απ' όσο μπορώ να σας παραστήσω, ακόμα κι αν γράψω ολόκληρες σελίδες. Ας αφήσουμε όμως τις λεπτομέρειες του ταξιδιού, για να δούμε τη στιγμή που το χιόνι σταμάτησε, έφεξε η μέρα και τώρα το έλκηθρο έτρεχε μέσα στο φως. Πήγαιναν κι όλο πήγαιναν, κι άλλο δεν ακουγόταν από το χιόνι που σφύριζε δεξιά κι αριστερά και τα γκέμια που έτριζαν. Ώσπου ξαφνικά, η Μάγισσα έβγαλε μια φωνή: «Τι γίνεται εδώ; Στάσου!» και το έλκηθρο σταμάτησε απότομα.

Αχ, πώς παρακαλούσε μέσα του ο Έντμουντ να πει τίποτα για φαΐ! Όμως ο λόγος που τους έκανε να σταματήσουν ήταν άλλος. Λίγο πιο πέρα, κάτω από 'να δέντρο, καθόταν μια χαρούμενη συντροφιά: ένας σκίουρος με τη γυναίκα του και τα παιδιά του, δυο σάτυροι, ένας νάνος και μια γρια αρσενική αλεπού. Είχαν στρωμένο τραπέζι και γύρω γύρω σκαμνιά. Ο Έντμουντ δεν είδε τι έτρωγαν, αλλά μύριζε όμορφα και του φάνηκε πως είχε γιρλάντες από γκυ κι ύστερα πήρε το μάτι του μια πουτίγκα με δαμάσκηνα. Την ώρα που πλησίαζε το έλκηθρο, η Αλεπού – η πιο ηλικιωμένη της συντροφιάς, απ' ότι φαινόταν – είχε ση-

κωθεί μ' ένα ποτήρι στο δεξί της χέρι σα να ετοιμαζό-
τανε για πρόποση. Καθώς όμως είδαν το έλκηθρο να
σταματάει και πρόσεξαν ποιον είχε μέσα, η χαρά χά-
θηκε από τα πρόσωπα όλων τους. Ο μπαμπάς σκίου-
ρος κοκάλωσε με το πιρούνι στον αέρα, πριν το βάλει
στο στόμα του, κι ο ένας σάτυρος έμεινε με το πιρούνι
στο στόμα και τα σκιουράκια τσίριξαν τρομαγμένα.

«Τι 'ναι τούτα τα καμώματα;» ρώτησε η Μάγισσα.
Κανένας δεν απάντησε.

«Μιλήστε, σκουλήκια:» ξαναφώναξε. «Ή μήπως θέ-
λετε να βάλω το νάνο μου να σας ξαναδώσει τη μιλιά
σας με το καμουτσίκι; Τι 'ναι τούτη η λαιμαργία κι η
σπατάλη; Και πού τα βρήκατε όλα αυτά;».

«Να με συμπαθάς, Μεγαλειοτάτη», είπε η Αλεπού.
«Δεν τα βρήκαμε, μας τα 'δωσαν. Και αν μου επιτρέ-
πεις, τολμώ να πιω στην υγειά της Χάρης σου –».

«Ποιος σας τα 'δωσε;» είπε η Μάγισσα.

« Ο Μπαρ-μπαρ-μπαρ- ο Μπαρμπα-Χριστούγεν-
νας», τραύλισε η Αλεπού.

«Ποιος;» βρυχήθηκε η Μάγισσα πηδώντας απ' το
έλκηθρο και πλησιάζοντας τα τρομοκρατημένα ζώα.
«Πού βρέθηκε αυτός εδώ; Αφού απαγορεύεται να

πατήσει στη Νάρνια! Πώς τολμήσατε – αλλά όχι! Πέστε μου πως μου λέτε ψέματα. Ακόμα και τώρα, θα σας το συγχωρέσω!».

Εκείνη ακριβώς τη στιγμή, ένα σκιουράκι φάνηκε να χάνει τα μυαλά του.

«Ήρθε! Ήρθε! Ήρθε!» τσίριξε χτυπώντας το κουταλάκι του στο τραπέζι. Ο Έντμουντ είδε τη Μάγισσα να δαγκώνει τα χείλια της – τόσο δυνατά, που μια σταγόνα αίμα κύλησε στο άσπρο πρόσωπό της. Έπειτα σήκωσε το σκήπτρο της.

«Αχ, μη, μη, μη – σας παρακαλώ, μη!» φώναξε ο Έντμουντ, αλλά την ίδια στιγμή η Βασίλισσα ανέμισε το σκήπτρο της και η χαρούμενη συντροφιά πέτρωσε στον τόπο: γίναν αγάλματα (το ένα με το πέτρινο πιρούνι του στον αέρα, πριν το βάλει στο πέτρινο στόμα του) γύρω από 'να πέτρινο τραπέζι, στολισμένο με πέτρινα πιάτα και μια πέτρινη πουτίγκα με δαμάσκηνα.

«Όσο για σένα», είπε η Μάγισσα κι έδωσε στον Έντμουντ ένα φοβερό χαστούκι καθώς ξανανέβαινε στο έλκηθρο, «αυτό να σου γίνει μάθημα και να μη ζητάς χάρη για κατασκόπους και προδότες! Πάμε!».

Κι ο Έντμουντ, για πρώτη φορά στην ιστορία μας, ένιωσε να λυπάται κάποιον άλλο, πέρα από τον εαυτούλη του. Ήτανε τόσο θλιβερό να σκέφτεται τις μικρές πετρωμένες φιγούρες, που θα 'μεναν έτσι σιωπηλές, μέρες και νύχτες, χρόνο το χρόνο, ώσπου να τις σκεπάσουν μούσκλια κι να φαγωθούν τα πρόσωπά τους.

Τραβούσαν τώρα πάλι ίσια μπροστά. Και σε λίγο ο Έντμουντ πρόσεξε πως το χιόνι που τίναζε πάνω τους το έλκηθρο ήταν πιο υγρό από την περασμένη νύχτα. Την ίδια στιγμή του φάνηκε πως δεν έκανε πια τόσο κρύο. Είχε αρχίσει να πέφτει ομίχλη. Για να λέμε την αλήθεια, ώρα την ώρα η ομίχλη πύκνωνε και ο αέρας ζέσταινε. Και το έλκηθρο δεν κυλούσε πια τόσο εύκολα σαν και πρώτα. Στην αρχή φαντάστηκε πως ίσως κουράστηκαν οι τάρανδοι, αλλά σε λίγο κατάλαβε πως δεν έφταιγε αυτό. Το έλκηθρο τρανταζόταν και χοροπηδούσε και σκόνταφτε λες και χτυπούσε σε πέτρες. Ο νάνος μαστίγωνε μ' όλη του τη δύναμη τους καημένους τους τάρανδους, αλλά το έλκηθρο πήγαινε όλο και πιο αργά. Έπειτα, του φάνηκε πως ολόγυρά τους ακουγόταν κάτι παράξενο, μόνο που ο σαματάς που έκανε το έλκηθρο και οι φωνές του νάνου και οι τάρανδοι δεν τον άφηναν να ξεχωρίσει. Ώσπου σε μια στιγμή το έλκηθρο κόλλησε για τα καλά και δεν έλεγε να προχωρήσει. Για μια στιγμή, έπεσε απόλυτη σιωπή. Και μέσα σε τούτη τη σιωπή, ο Έντμουντ κατάφερε επιτέλους ν' ακούσει το θόρυβο. Ήταν παράξενος, γλυκός και γουργουριστός – μα όχι και τόσο παράξενος, τον είχε ακούσει κι άλλοτε... Ας μπορούσε μόνο να θυμηθεί πού! Η σκέψη του ξαστέρωσε με μιας! Ήτανε θόρυβος από νερό τρεχούμενο! Παντού ολόγυρά τους, αόρατα ρυάκια τραγουδούσαν, μουρμούριζαν, κελάρυζαν και πιτσιλούσαν και πέρα μακριά ακούγονταν άλλα που μούγκριζαν θεριεμένα. Τότε η καρδιά του πετάρισε (κι ας μην ήξερε καλά καλά το λόγο), γιατί κατάλαβε πως τέλειωνε πια η παγωνιά. Και κει κοντά ένα αδιάκοπο πλιτς-πλατς-πλιτς ακουγόταν από τα κλαδιά των δέντρων. Σ' ένα δέντρο πιο κει, είδε ξάφνου ένα μεγάλο φορτίο χιόνι να γλιστράει και να πέφτει, και για πρώτη φορά απ' όταν βρέθηκε στη Νάρνια αντίκρισε το σκουροπράσινο χρώμα του έλατου. Δεν είχε όμως πια καιρό για να βλέπει και ν' ακούει, γιατί η Μάγισσα του φώναξε:

«Πάψε να κοιτάς σα βλάκας! Βγες να βοηθήσεις!».

Ο Έντμουντ δε γινόταν να κάνει κι αλλιώς. Κατέβηκε κάτω, βουλιάζοντας στο λασπωμένο χιόνι, και βοήθησε το νάνο να βγάλει το έλκηθρο από το βούρκο που είχε σφηνώσει. Όταν το κατάφεραν καμιά φορά, ο νάνος αγρίεψε τους τάρανδους και ξεκίνησαν πάλι, κουτσά στραβά. Τώρα όμως το χιόνι έλιωνε για τα καλά, παντού πρασίνιζαν μπαλώματα χλωρό χορτάρι. Για σας που δεν έχετε αντικρίσει ποτέ, όπως ο Έντμουντ, ένα κόσμο τόσο χιονισμένο, είναι δύσκολο να φανταστείτε τι ανακούφιση ήταν τούτα τα πράσινα μπαλώματα μετά από την ατέλειωτη ασπράδα. Το έλκηθρο σταμάτησε ξανά.

«Δε γίνεται τίποτα, Κυρά μου», είπε ο νάνος. «Το έλκηθρο δεν κυλάει στο λιωμένο χιόνι».

«Τότε θα πάμε με τα πόδια», είπε η Μάγισσα.

«Με τα πόδια δε θα τους προλάβουμε ποτέ», γρύλλισε ο νάνος. «Έχουνε ξεκινήσει ώρα πριν από μας».

«Σύμβουλος είσαι ή σκλάβος μου;» τον αποπήρε η Μάγισσα. «Να κάνεις αυτό που σου λέω. Δέσε τα χέρια του ανθρώπινου πλάσματος και κράτα το δεμένο με σκοινί. Πάρε και το καμουτσίκι σου, και κόψε τα γκέμια των τάρανδων. Θα βρουν το δρόμο να γυρίσουν πίσω».

Ο νάνος υπάκουσε και σε λίγα λεπτά ο Έντμουντ βρέθηκε αναγκασμένος να περπατάει όσο πιο γρήγορα μπορούσε, με τα χέρια δεμένα πιστάγκωνα. Περπάταγε κι όλο γλιστρούσε στο βούρκο και στο λιωμένο χιόνι και στο βρεγμένο χόρτο, και κάθε που γλιστρούσε ο νάνος τον έβριζε και καμιά φορά τον

έδερνε με το καμουτσίκι. Η Μάγισσα ακολουθούσε πιο πίσω, κι όλη την ώρα έλεγε, «Πιο γρήγορα! Πιο γρήγορα!».

Εκεί που προχωρούσαν, τα πράσινα μπαλώματα μεγάλωναν και τα κομμάτια του χιονιού μίκραιναν. Κάθε στιγμή όλο και πιο πολλά δέντρα τίναζαν το χιονισμένο σκέπασμά τους. Και σε λίγο, όπου κι αν γύριζες να κοιτάξεις, αντί για άσπρες σκιές έβλεπες καταπράσινα έλατα και μαύρα αγκαθωτά κλαδιά απ᾽ τις γυμνές βελανιδιές και τις οξιές και τις λεύκες. Η άσπρη ομίχλη έγινε ολόχρυση κι έπειτα ξεκαθάρισε. Υπέροχες φωτεινές δέσμες έπεσαν στο χώμα του δάσους και πάνω ψηλά φάνηκε ο ουρανός καταγάλανος ανάμεσα στις κορφές των δέντρων.

Όμως τα θαύματα δεν σταμάτησαν εδώ. Στρίβοντας ξάφνου σ' ένα ξέφωτο με ασημένιες σημύδες, ο Έντμουντ είδε το χώμα σκεπασμένο με μικρά κίτρινα λουλουδάκια – ήταν χαμομήλια! Ο θόρυβος του νερού δυνάμωσε, και σε λίγο βρήκαν μπροστά τους το ρυάκι και το πέρασαν. Η άλλη όχθη ήτανε γεμάτη ασπρολούλουδα.

« Εσύ να κοιτάς τη δουλειά σου!» είπε ο νάνος βλέποντας τον Έντμουντ να γυρίζει το κεφάλι του, και τράβηξε με κακία το σκοινί.

Μα τώρα πια τίποτα δεν εμπόδιζε τον Έντμουντ να βλέπει. Σε λίγο πρόσεξε τους πρώτους κρόκους που φύτρωναν στις ρίζες ενός γέρικου δέντρου, χρυσοί, ρόδινοι και λευκοί. Κι έπειτα ακούστηκε κάτι ακόμα πιο υπέροχο από τον ήχο του νερού. Πλάι στο μονοπάτι που περνούσαν, ένα πουλί τιτίβισε ξαφνικά σε κάποιο κλαράκι. Άλλο πουλί του απάντησε, λιγάκι πιο μακριά. Και τότε, λες και περίμεναν το σύνθημα, τιτιβίσματα και τραγούδια ξέσπασαν απ' όλες τις μεριές, και μέσα σε πέντε λεπτά όλο το δάσος αντηχούσε απ' το κελάηδημα των πουλιών. Όπου κι αν γύριζε τα μάτια του, ο Έντμουντ έβλεπε πουλιά, στα κλαδιά ή στον αέρα, να κυνηγιούνται και να παίζουν, ή να χτενίζουν τις φτερούγες με τα ράμφη τους.

«Πιο γρήγορα! Πιο γρήγορα!» έλεγε η Μάγισσα.

Τώρα η ομίχλη είχε διαλυθεί. Ο ουρανός γινόταν όλο και πιο γαλανός, κι άσπρα συννεφάκια τον διάβαιναν βιαστικά. Στ' ανοιχτά ξέφωτα φούντωναν παπαρούνες, κι ένα ελαφρό αεράκι τίναξε τις δροσοστάλες από τα κλαδιά και έλουσε με καινούριες, ανείπωτες ευωδιές τα πρόσωπα των στρατοκόπων. Τα δέντρα πήραν ζωή. Τ' αγριόπευκα και οι σημύδες σκεπάστηκαν με πράσινη φυλλωσιά, και τα λαβούρνα αστραψαν ολόχρυσα. Σε λίγο οι οξιές γέμισαν διάφανα φυλλαράκια και το φως έγινε πράσινο στο δρόμο που περνούσαν οι τρεις ταξιδιώτες. Μια μέλισσα πετάχτηκε βουίζοντας στο μονοπάτι.

«Μα εδώ δε λιώνουνε μόνο τα χιόνια», είπε ο νάνος σταματώντας απότομα. «Ήρθε η Άνοιξη! Τι θα γίνουμε τώρα, Κυρά μου; Πάει ο χειμώνας σου! Να το ξέρεις, είναι καμώματα του Ασλάν!».

«Μην ξαναβάλει κανείς σας στο στόμα του ετούτο τ' όνομα», είπε η Μάγισσα, «αν θέλει τη ζωή του!».

ΚΕΦΑΛΑΙΟ ΔΩΔΕΚΑΤΟ

Ο Πήτερ δίνει την πρώτη μάχη

Την ώρα που ο νάνος και η Λευκή Μάγισσα μιλούσαν ακόμα, κάμποσα μίλια μακριά, οι Κάστορες και τα παιδιά περπατούσαν θαρρώντας πως αντικρίζουν ένα υπέροχο όνειρο. Είχαν πετάξει πια τα πανωφόρια τους κι έπαψαν να λένε κάθε λίγο, «Κοίτα! Ένας ψαροφάγος!» ή πάλι, «Βγήκαν και καμπανούλες!» ή, «Τι μυρίζει έτσι όμορφα;» ή ακόμα, «Άκου πώς κελαηδάει η τσίχλα!». Τώρα περπατούσαν σιωπηλά, ρουφώντας το θέαμα, περνούσαν από κομμάτια με ζεστή λιακάδα σε δροσερά, πράσινα σύδεντρα, βγαίναν σε ξέφωτα με μούσκλια όπου θεόρατες φτελιές όρθωναν το φυλλωτό τους θόλο πέρα ψηλά, χώνονταν στις πυκνές ανθισμένες βατομουριές και σε λουλουδισμένους θάμνους που τους λίγωναν με τη γλυκιά μυρωδιά τους.

Είχαν δοκιμάσει την ίδια έκπληξη, όπως ο Έντμουντ, βλέποντας το χειμώνα να χάνεται κι ολόκληρο το δάσος να περνάει μέσα σε λίγες ώρες από το Γενάρη στο Μάη. Και βέβαια δεν ήξεραν (όπως ήξερε, φυσικά, η Μάγισσα) πως όλα αυτά θα γίνονταν μόνο αν γύριζε ο Ασλάν στη Νάρνια. Το μόνο που καταλάβαιναν, ήταν πως τα μάγια της είχαν φέρει τον ατέλειωτο χειμώνα, γι' αυτό και με τον ερχομό τούτης της μαγεμένης άνοιξης ένιωσαν πως κάτι χάλαγε πολύ, μα πολύ σοβαρά, τα σχέδια της Μάγισσας. Όταν πια έλιωσε το χιόνι, σκέφτηκαν πως η Μάγισσα δε μπορούσε πια να χρησιμοποιήσει το έλκηθρό της. Τότε έπαψαν να προχωρούν βιαστικά, και κάθε λίγο σταματούσαν να ξαποστάσουν με την ησυχία τους. Σίγουρα, είχαν κουραστεί πολύ, μα δεν ένιωθαν την κούραση σαν αγωνία – μόνο που το βήμα τους σιγάνεψε και μέσα τους ήταν γαληνεμένοι και βυθισμένοι σε όνειρο, σαν και κείνον που ξέρει ότι φτάνει στο τέλος μιας μεγάλης μέρας στην ύπαιθρο. Η Σούζαν μόνο είχε βγάλει στη φτέρνα μια μικρή φουσκάλα.

Εδώ και κάμποση ώρα είχαν αφήσει πίσω τους το μεγάλο ποτάμι, γιατί έπρεπε να στρίψουν δεξιά (δηλαδή κατά το νότο) για να φτάσουν στο Πέτρινο Τραπέζι. Μα κι από κει να μην ήταν ο δρόμος τους, πάλι δε θα μπορούσαν να πάρουν την κοιλάδα του ποταμού απ' όταν άρχισαν να λιώνουν τα χιόνια, γιατί το ρέμα είχε αρχίσει να πλημμυρίζει – μια υπέροχη κίτρινη φουσκονεριά μούγκριζε θεριεμένη, και το μονοπάτι θα 'ταν κιόλας σκεπασμένο απ' το νερό.

Τώρα ο ήλιος έγερνε και το φως έγινε κόκκινο · μάκρυναν οι ίσκιοι και τα λουλούδια ετοιμάστηκαν να κλείσουν.

«Κοντεύουμε», είπε ο κύριος Κάστορας που τους οδηγούσε τώρα στην ανηφοριά · ήταν σκεπασμένη με πυκνά ανοιξιάτικα βρύα, που τα 'νιωθαν τόσο ανακουφιστικά κάτω απ' τα κουρασμένα πόδια τους, και τόπους τόπους φύτρωναν αραιά πανύψηλα δέντρα. Τούτο το σκαρφάλωμα, έπειτα από τη δύσκολη μέρα που πέρασαν, τους έκανε να φουσκώσουν και να λαχανιάσουν. Μα τη στιγμή ακριβώς που η Λούσυ άρχισε να νομίζει πως δε θα τα καταφέρει να φτάσει ως απάνω αν δε σταθεί να πάρει ανάσα, κατάλαβε πως πατούσαν στην κορφή! Και να τι αντίκρισαν.

Βρίσκονταν σε μια μεγάλη καταπράσινη απλωσιά, και κάτω φούντωνε το δάσος όσο έπιανε το μάτι σου, απ' όλες τις μεριές — όλες, εκτός από ίσια μπροστά τους. Εκεί, πέρα στην ανατολή, κάτι στραφτοκοπούσε και σάλευε. «Μα το ναι!» ψιθύρισε ο Πήτερ στη Σούζαν. « Η θάλασσα!» Καταμεσίς στην απλωσιά της κορυφής ορθωνόταν το Πέτρινο Τραπέζι. Μια πελώρια βαριά πλάκα από σταχτιά πέτρα, στηριγμένη σε τέσσερα όρθια βράχια. Έμοιαζε πολύ παλιό, και πάνω του είχε χαραγμένες παράξενες γραμμές και σύμβολα, που θα μπορούσαν να 'ναι γράμματα μιας άγνωστης γλώσσας. Ένιωθες περίεργα όταν τα κοίταγες. Το επόμενο πράγμα που είδαν, ήταν μια μεγάλη σκηνή στημένη στην άλλη μεριά της απλωσιάς. Ήτανε σπουδαία τούτη η σκηνή — πιο πολύ τώρα που έπεφτε πάνω της το φως της δύσης — με παραπετάσματα από κίτρινο μετάξι και πορφυρά κορδόνια και πάσαλους φιλντισένιους· και από πάνω, ψηλά στο κοντάρι, ανέμιζε ένα λάβαρο στο αεράκι που φυσούσε από τη μακρινή θάλασσα: το λάβαρο με το κόκκινο αγριεμένο λιοντάρι που χυμούσε. Δεν είχαν χορτάσει ακόμα να το κοιτάζουν, όταν ξάφνου μουσικές ακούστηκαν στα δεξιά τους· γύρισαν, και τότε αντίκρισαν εκείνο που περίμεναν να δουν.

Ο Ασλάν στεκόταν στη μέση ενός τεράστιου μισοφέγγαρου από λογής λογής πλάσματα. Είχε Νεράιδες

των Δέντρων και Νεράιδες των Πηγαδιών (Δρυάδες και Ναϊάδες τις έλεγαν στο δικό μας κόσμο) που βαστούσαν όργανα με χορδές· από κει έβγαινε η μουσική. Είχε τέσσερις πελώριους κένταυρους. Από τη μέση και κάτω μοιάζαν με κείνα τα μεγάλα άλογα που έχουν οι γεωργοί στα χωράφια, κι από τη μέση και πάνω με αυστηρούς αλλά πανέμορφους γίγαντες. Ήταν ακόμα ένας μονόκερος κι ένας ταύρος με κεφάλι ανθρώπου, ένας πελεκάνος κι ένας αετός κι ένας μεγάλος Σκύλος. Και δίπλα στον Ασλάν, δεξιά κι αριστερά του, στεκόντουσαν δυο πάνθηρες· ο πρώτος του βαστούσε την κορώνα κι ο δεύτερος το σκήπτρο.

Όσο για τον Ασλάν, μήτε οι Κάστορες μήτε τα παιδιά ήξεραν τι να κάνουν ή να πούνε μόλις τον αντίκρισαν. Όποιος δεν έχει πάει ποτέ στη Νάρνια, είναι δύσκολο να πιστέψει πως κάτι μπορεί να 'ναι απέραντα αγαθό και συνάμα τρομερό. Κι αν έτσι νόμιζαν κάποτε τα παιδιά, τώρα το ξέχασαν. Γιατί σαν δοκίμασαν να τον κοιτάξουν καταπρόσωπο, είδαν για μια στιγμή την αστραπή της ολόχρυσης χαίτης του και τα μεγάλα, ήρεμα κι επιβλητικά του μάτια, και τότε κατάλαβαν πως δεν αντέχουν να τον αντικρίσουν κι άρχισαν να τρέμουν.

«Προχωρήστε», ψιθύρισε ο κύριος Κάστορας.

«Όχι», απάντησε σιγανά ο Πήτερ. «Πρώτα εσείς».

«Πρώτα τα παιδιά του Αδάμ κι έπειτα τα ζώα», ξαναψιθύρισε ο Κάστορας.

«Σούζαν», είπε πάλι ο Πήτερ, «πέρασε πρώτη. Οι κυρίες προηγούνται».

«Όχι, εσύ δεν είσαι ο μεγαλύτερος;» είπε η Σούζαν. Και, φυσικά, όσο δίσταζαν, τόσο πιο δειλιασμένα ένιωθαν. Καμιά φορά, ο Πήτερ κατάλαβε πως έπρεπε να προχωρήσει πρώτος. Τράβηξε το σπαθί του και το

σήκωσε να χαιρετήσει, ψιθυρίζοντας γρήγορα στους άλλους, «Ελάτε. Συμμαζευτείτε». Ζύγωσε τότε το Λιοντάρι και του είπε:
«Ήρθαμε – Ασλάν».
«Καλωσόρισες Πήτερ, Γιε του Αδάμ», είπε ο Ασλάν. «Καλωσορίσατε Σούζαν και Λούσυ, Κόρες της Εύας. Καλωσόρισες Κάστορα και Καστορίνα».
Η φωνή του, πλούσια και βαθιά, τους γαλήνεψε ως τα τρίσβαθα. Τώρα ένιωθαν χαρούμενοι και ήρεμοι και δεν τους φαινόταν πια ανάγωγο να στέκονται χωρίς να μιλάνε.
«Πού είναι ο τέταρτος;» είπε ο Ασλάν.
«Δοκίμασε νατους προδώσει και πήγε με τη Λευκή Μάγισσα, ω Ασλάν», είπε ο κύριος Κάστορας. Και τότε κάτι έκανε τον Πήτερ να πει:
«Φταίω κι εγώ λιγάκι, Ασλάν. Του θύμωσα και νομίζω πως τον έσπρωξα να πάρει λάθος δρόμο».
Κι ο Ασλάν δεν είπε τίποτα, μήτε για να δικαιολογήσει τον Πήτερ μήτε για να τον κατηγορήσει. Στάθηκε μόνο και τον κοίταζε με τα μεγάλα ήρεμα μάτια του. Κι όλοι κατάλαβαν πως δεν έμενε και τίποτα να ειπωθεί.
«Σε παρακαλούμε, Ασλάν», είπε η Λούσυ. «Μπορεί να γίνει τίποτα για να σώσουμε τον Έντμουντ;».
«Όλα θα γίνουν», αποκρίθηκε ο Ασλάν. «Μόνο που ίσως θα 'ναι πιο δύσκολο απ' όσο νομίζετε». Και σώπασε πάλι. Ίσαμε κείνη τη στιγμή, η Λούσυ σκεφτόταν πόσο γαλήνια και δυνατή και ηγεμονική είναι η όψη του· τώρα της φάνηκε, άξαφνα, βαθιά λυπημένη. Όμως την άλλη στιγμή η έκφραση έσβησε. Το Λιοντάρι τίναξε τη χαίτη του και χτύπησε τα μπροστινά του πόδια («Τι φοβερά νύχια πρέπει να κρύβονται κάτω από τις βελούδινες πατούσες του»),

σκέφτηκε η Λούσυ, και είπε:

«Στο μεταξύ, ας προχωρήσει η γιορτή. Εσείς κυρίες, πάρτε τις Κόρες της Εύας στη σκηνή και ετοιμάστε τις».

Όταν έφυγαν τα κορίτσια, ο Ασλάν ακούμπησε το πόδι του – βαρύ και βελούδινο – στον ώμο του Πήτερ και είπε: «Έλα Γιε του Αδάμ. Έλα να δεις από μακριά το κάστρο όπου θα γίνεις Βασιλιάς».

Κι ο Πήτερ, βαστώντας ακόμα το σπαθί στο χέρι, πλησίασε μαζί με το Λιοντάρι την ανατολική άκρη της κορφής. Ένα εξαίσιο θέαμα ανοιγόταν μπροστά του. Πίσω τους έγερνε ο ήλιος, κι όλος ο τόπος ήταν βουτηγμένος στα χρώματα του σούρουπου – δάσος και λόφοι και κοιλάδες, και κάτω, κουλουριασμένο σαν ασημένιο φίδι, ένα κομμάτι του μεγάλου ποταμού. Και πέρα μακριά, μίλια μακριά, ήταν η θάλασσα, και πιο πέρα ακόμα ο ουρανός γεμάτος σύννεφα που ρόδιζαν τώρα καθρεφτίζοντας το φως της δύσης. Εκεί όμως που η χώρα της Νάρνια έσμιγε με τη θάλασσα για την ακρίβεια στις εκβολές του μεγάλου ποταμού, κάτι άστραφτε πάνω σ' ένα λοφάκι. Άστραφτε γιατί 'ταν ένα πελώριο κάστρο, και στα παράθυρα που έβλεπε ο Πήτερ έπεφτε το τελευταίο φως. Έμοιαζε σα μεγάλο αστέρι που αναπαυόταν στην ακρογιαλιά.

«Άνθρωπε», είπε ο Ασλάν, «αυτό εκεί είναι το Κάιρ Πάραβελ με τους τέσσερις θρόνους όπου θα βασιλέψεις. Σε σένα το δείχνω γιατί είσαι ο πρωτότοκος και θα γίνεις ο Μεγάλος Βασιλιάς, πιο μεγάλος από τους υπόλοιπους».

Ξανά δε μίλησε ο Πήτερ· γιατί εκείνη τη στιγμή ένας παράξενος ήχος έσπασε τη σιγαλιά. Έμοιαζε με σάλπιγγα, μόνο που αυτός εδώ ήταν πιο πλούσιος.

«Είναι το κέρας της αδερφής σου», είπε σιγανά ο

Ασλάν· τόσο σιγανά, που η φωνή του έμοιαζε με απαλό ροχάλισμα, αν δεν είναι βέβαια ασέβεια να φανταστείς Λιοντάρι να ροχαλίζει.

Για μια στιγμή ο Πήτερ στάθηκε δίχως να καταλαβαίνει. Κι έπειτα, βλέποντας τ' άλλα πλάσματα να τρέχουν, κατάλαβε· όμως ο Ασλάν τους σταμάτησε όλους ανεμίζοντας ηγεμονικά το πόδι του: «Πίσω! Άστε το Πριγκιπόπουλο ν' αποδείξει την αξία του» – κι ο Πήτερ όρμησε μ' όλη του τη δύναμη για τη σκηνή. Το θέαμα που τον περίμενε ήταν φοβερό.

Ναϊάδες και Δρυάδες σκορπίζονταν απ' όλες τις μεριές. Η Λούσυ έτρεχε προς το μέρος του όσο πιο γρήγορα μπορούσαν να την πάνε τα μικρά της ποδαράκια και το πρόσωπό της ήταν κατάχλωμο. Είδε τότε τη Σούζαν να ορμάει και να σκαρφαλώνει σ' ένα δέντρο, και ξωπίσω της ένα πελώριο σταχτί αγρίμι. Στην αρχή το πέρασε για αρκούδα. Έπειτα σκέφτηκε πως μοιάζει με μαντρόσκυλο, κι ας ήταν πολύ μεγάλο. Και τότε μόνο κατάλαβε ότι είναι λύκος: ένας λύκος σηκωμένος στα πισινά ποδάρια του, με τα μπροστινά ακουμπισμένα στον κορμό, και στόμα ορθάνοιχτο που ούρλιαζε. Όλες οι τρίχες στη ράχη του ήταν ορθωμένες. Η Σούζαν δεν κατάφερε να προχωρήσει πέρα από το δεύτερο μεγάλο κλαρί. Το ένα πόδι της κρεμόταν, κι η φτέρνα της βρισκότανε μόλις πέντ' έξι πόντους πάνω από τ' άγρια δόντια που ανοιγόκλειναν. Ο Πήτερ αναρωτήθηκε γιατί δεν ανεβαίνει πιο ψηλά, ή τουλάχιστον γιατί δεν κρατιέται καλύτερα· και τότε κατάλαβε πως ήταν έτοιμη να λιγοθυμήσει, και πως αν λιγοθυμούσε θα 'πεφτε κάτω.

Για να λέμε την αλήθεια, εκείνη τη στιγμή δεν ένιωθε και πολύ γενναίος – μάλιστα, του 'ρχόταν ζάλη. Όμως αυτό δεν είχε καμιά σημασία. Έπρεπε να κάνει το χρέος του. Όρμησε λοιπόν καταπάνω στο αγρίμι κι ετοιμάστηκε να του κατεβάσει το σπαθί στο πλευρό του. Μα η σπαθιά δεν πέτυχε το Λύκο. Γρήγορος σαν αστραπή, γύρισε να του χυμήξει με μάτια που πετούσαν φωτιές και στόμα ορθάνοιχτο, ουρλιάζοντας αγριεμένα. Αν δεν ήταν τόσο θυμωμένος για να σταθεί να ουρλιάξει, θ' άρπαζε αμέσως τον Πήτερ από το λαιμό. Τώρα όμως – αν και όλα τούτα γινήκαν τόσο γρήγορα, που ο Πήτερ μήτε πρόλαβε να σκεφτεί – βρήκε τον καιρό να σκύψει μπήγοντας το σπαθί, μ' όλη του τη δύναμη, ανάμεσα στα μπροστινά ποδάρια του θηρίου, εκεί που ήταν η καρδιά. Ακολούθησε μια τρομερή στιγμή, μπερδεμένη σαν εφιάλτης. Τίναζε και τραβούσε το σπαθί του, μα ο Λύκος δε φαινόταν μήτε ζωντανός μήτε πεθαμένος, πελώρια δόντια τον χτύπησαν στο μέτωπο κι όλα γινήκαν αίμα, ζέστη και μαλλιά. Την άλλη στιγμή είδε το τέρας νεκρό και κείνος, με το σπαθί του λευτερωμένο, ίσιωνε την πλάτη και σκούπιζε τον ιδρώτα από το πρόσωπο και τα μάτια του. Ένιωθε φοβερά κουρασμένος.

Η Σούζαν κατέβηκε από το δέντρο. Ήταν συγκινημένη όσο κι ο Πήτερ και, αναπόφευκτα, ακολούθησαν φιλιά και κλάματα κι από τους δυο τους. Όμως στη Νάρνια κανείς δε σε κοροϊδεύει σε τέτοιες στιγμές.

«Γρήγορα! Γρήγορα!» φώναξε ο Ασλάν. «Κένταυροι κι Αετοί! Βλέπω κι άλλο λύκο στο σύδεντρο. Εκεί – πίσω σας. Το 'σκασε και φεύγει. Μην τον αφήσετε! Το δίχως άλλο θα πηγαίνει στην κυρά του! Τώρα μπορείτε να βρείτε τη Μάγισσα και να σώσετε τον Τέταρτο Γιο του Αδάμ». Και μ' ένα χαλασμό από ποδοβολητά και φτερουγίσματα, καμιά δεκαριά από τα πιο γρήγορα πλάσματα χάθηκαν μέσα στο σκοτάδι που πύκνωνε.

Ο Πήτερ, λαχανιασμένος ακόμα, γύρισε κι είδε πλάι του τον Ασλάν.

«Ξέχασες να καθαρίσεις το σπαθί σου», είπε το Λιοντάρι. Κι ήταν αλήθεια. Ο Πήτερ κοκκίνησε βλέποντας το λαμπερό λεπίδι λερωμένο απ' τα μαλλιά και τα αίματα του Λύκου, έσκυψε και το σκούπισε καλά στα χόρτα κι έπειτα το στέγνωσε στα ρούχα του.

«Δώσε μου το σπαθί σου και γονάτισε, Γιε του Αδάμ», είπε ο Ασλάν. Ο Πήτερ υπάκουσε, και τότε το Λιοντάρι του ακούμπησε στον ώμο την πλατιά λεπίδα. «Σήκω επάνω, Ιππότη Πήτερ Εξολοθρευτή του Λύκου. Κι ό,τι κι αν γίνει, μην ξεχνάς ποτέ να σκουπίζεις το σπαθί σου».

KEΦΑΛΑΙΟ ΔΕΚΑΤΟ ΤΡΙΤΟ

Μάγια βαθιά από τη χαραυγή του χρόνου

Τώρα όμως πρέπει να ξαναγυρίσουμε στον Έντμουντ. Τον είχαν αναγκάσει να προχωρήσει όσο δε μπορεί πια ν' αντέξει άνθρωπος, ώσπου καμιά φορά η Μάγισσα σταμάτησε σε μια κοιλάδα σκοτεινή, σκιασμένη από έλατα και κυπαρίσσια. Τα πόδια του λύγισαν τότε κι έπεσε κάτω τα μπρούμυτα δίχως να κάνει τίποτα μήτε να τον ενδιαφέρει τι θα γίνει — φτάνει να τον αφήσουν να πλαγιάσει. Ήτανε τόσο κουρασμένος, που μήτε πείνα ένιωθε, μήτε δίψα. Πλάι του, η Μάγισσα κι ο νάνος κουβέντιαζαν σιγανά.

«Δεν έχει νόημα, Βασίλισσά μου», έλεγε ο νάνος. «Πρέπει να 'χουνε φτάσει πια στο Πέτρινο Τραπέζι».

« Ο Λύκος θα μας βρει με τη μυρωδιά και θα μας φέρει νέα», είπε η Μάγισσα.

« Αν μας τα φέρει εδώ, δε θα 'ναι καλά νέα», είπε ο νάνος.

«Οι τέσσερις θρόνοι του Κάιρ Πάραβελ», είπε η Μάγισσα. «Μα αν γεμίσουν μόνο τρεις, δεν εκπληρώνεται η προφητεία».

131

«Και τι μετράει, αφού *Εκείνος* βρίσκεται πια εδώ;» είπε ο νάνος. Ακόμα και τώρα δεν τολμούσε να προφέρει το όνομα του Ασλάν μπροστά στην κυρά του. «Μπορεί να μη μείνει πολύ. Και τότε – τότε θα επιτεθούμε στους τρεις του Κάιρ Πάραβελ».

«Ίσως να 'ναι καλύτερα», είπε ο νάνος, «να κρατήσουμε αυτόν εδώ (και πάνω σε τούτο τράβηξε μια γερή κλοτσιά του Έντμουντ) για να το παζαρέψουμε λιγάκι».

«Ναι, για να τον σώσουνε!» είπε κοροϊδευτικά η Μάγισσα.

« Ε τότε, ας κάνουμε αμέσως ό,τι είναι να γίνει», αποκρίθηκε ο νάνος.

«Θα προτιμούσα να το κάνω στο Πέτρινο Τραπέζι. Εκεί είναι το σωστό, εκεί γινόταν όλες τις φορές, παλιά».

«Θα περάσει καιρός ώσπου να χρησιμοποιήσουμε ξανά όπως πρέπει το Πέτρινο Τραπέζι», είπε ο νάνος.

«Σωστά», έκανε η Μάγισσα. «Τότε, εδώ λοιπόν!».

Πάνω στην ώρα φάνηκε να ζυγώνει τρέχοντας ένας Λύκος με άγρια ουρλιαχτά.

«Τους είδα! Είναι όλοι στο Πέτρινο Τραπέζι μαζί με Κείνον! Σκοτώσανε τον αρχηγό μου, τον Μώγκριμ. Είχα κρυφτεί στο σύδεντρο και τα 'δα όλα. Τον σκότωσε ένας Γιος του Αδάμ. Κάντε φτερά!».

«Όχι», είπε η Μάγισσα. «Δε μας βιάζει κανείς να κάνουμε φτερά. Ξεκίνα αμέσως. Μάζεψε όλους τους δικούς μας και πες τους να μας συναντήσουν εδώ όσο πιο γρήγορα μπορούν. Φώναξε τους γίγαντες και τους λυκάνθρωπους και τα πνεύματα των δέντρων που είναι με το μέρος μας. Φώναξε τους Δαίμονες των Τάφων και τα Αερικά, τα Τελώνια και τους Μινώταυρους. Φώναξε τις Λάμιες, τις Στρίγγλες, τα Φαντά-

132

σματα και τις ψυχές των Φαρμακερών Μανιταριών. Θα πολεμήσουμε! Τίποτα δε φοβάμαι όσο έχω το σκήπτρο μου. Λέτε πως η στρατιά τους δε θα γίνει πέτρα αν τολμήσει να ζυγώσει; Φεύγα γρήγορα, κι όσο θα λείπεις, έχω μια δουλίτσα να τελειώσω».

Το πελώριο αγρίμι έσκυψε το κεφάλι και ξεκίνησε σαν αστραπή.

«Και τώρα», είπε η Μάγισσα, «αφού δεν έχουμε τραπέζι – για να δούμε. Λέω να τον ακουμπήσουμε σε τούτο τον κορμό».

Ο Έντμουντ κατάλαβε πως τον άρπαζαν και τον έστηναν με τη βία στα πόδια του. Ο νάνος τον έγειρε με την πλάτη σ' ένα δέντρο και τον έδεσε γερά. Είδε τότε τη Μάγισσα να βγάζει το μανδύα της. Τα γυμνά της χέρια άστραψαν, τρομαχτικά λευκά. Τίποτ' άλλο δεν ξεχώριζε πέρα από την ασπράδα τους, τόσο σκοτάδι είχε σε τούτη την κοιλάδα, κάτω απ' τα βαθύσκιωτα δέντρα.

«Ετοίμασε το θύμα», είπε η Μάγισσα, κι ο νάνος ξεκούμπωσε το γιακά του Έντμουντ και του κατέβασε το πουκάμισο γύρω στο λαιμό. Έπειτα τον άρπαξε από τα μαλλιά και του έγειρε πίσω το κεφάλι για να σηκώσει το σαγόνι του. Ο Έντμουντ άκουσε έναν παράξενο θόρυβο – γουίζ-γουίζ-γουίζ. Για μια στιγμή σάστισε. Έπειτα κατάλαβε. Ήταν ήχος μαχαιριού που τροχιζόταν.

Τότε όμως κραυγές δυνατές αντήχησαν απ' όλες τις μεριές – ο τόπος τραντάχθηκε από τα ποδοβολητά και τ' άγρια φτερουγίσματα – κι ύστερα το ουρλιαχτό της Μάγισσας, βοή κι αντάρα μεγάλη. Ο Έντμουντ ένιωσε να τον λύνουν. Χέρια πελώρια τον τύλιξαν κι άκουσε βαριές καλοσυνάτες φωνές που λέγαν –

«Ξάπλωσέ τον εδώ – δώστου λίγο κρασί – έλα, πιες το – ήσυχα τώρα – σ' ένα λεπτό θα 'σαι περδίκι».

Πλάι του άλλες φωνές ακούγονταν, μα δε μιλούσαν σ' αυτόν, κουβέντιαζαν μεταξύ τους. «Ποιος έπιασε τη Μάγισσα;». «Νόμιζα πως την έπιασες εσύ». «Δεν την είδα απ' τη στιγμή που της πέταξα το μαχαίρι – μετά κυνήγησα το νάνο – δηλαδή μας το 'σκασε;». «Δεν μπορώ να κάνω δέκα δουλειές μαζί. Επ! Τι 'ναι τούτο; Α, τίποτα, ένα κούτσουρο!». Εδώ ακριβώς όμως, ο Έντμουντ λιγοθύμησε.

Σε λίγο οι κένταυροι, οι μονόκεροι, τα ελάφια και τα πουλιά (η ομάδα διασώσεως που έστειλε ο Ασλάν στο προηγούμενο κεφάλαιο) ξεκινούσαν πάλι για το Πέτρινο Τραπέζι, κουβαλώντας μαζί τους τον Έντμουντ. Αν όμως μπορούσαν να δουν τι έγινε στην κοιλάδα μόλις έφυγαν, σίγουρα θα 'χαναν το μυαλό τους.

Παντού βασίλευε σιγαλιά και σε λίγο βγήκε το φεγγάρι. Στο φως του, φάνηκε ένα κούτσουρο από γέρικο δέντρο και πλάι του ένα λιθάρι. Αν όμως είσαστε από μια μεριά, θα λέγατε πως κάτι μυστήριο συμβαίνει με

134

τούτα δω. Κι έπειτα θα σκεφτόσαστε πως το λιθάρι μοιάζει πολύ με κοντόχοντρο ανθρωπάκι κουλουριασμένο στο χώμα. Κι αν κοιτάζατε προσεχτικά, θα βλέπατε το λιθάρι να πλησιάζει το κούτσουρο, και το κούτσουρο ν' ανακάθεται και να του μιλάει· γιατί, στην πραγματικότητα, το κούτσουρο και το λιθάρι δεν ήταν παρά η Μάγισσα κι ο νάνος. Η Λευκή Μάγισσα, βλέπετε, ήξερε να κάνει με τα μάγια της τα πράγματα ν' αλλάζουν όψη, και πρόλαβε πάνω στην ώρα, καθώς της έπαιρναν το μαχαίρι. Φρόντισε όμως να κρύψει το σκήπτρο της και να το γλιτώσει.

Το άλλο πρωί που ξύπνησαν τα παιδιά (τα έβαλαν να κοιμηθούν στη σκηνή, πάνω σε σωρούς μαλακά μαξιλάρια), έμαθαν από την κυρία Καστορίνα πως ο αδερφός τους σώθηκε και τον είχαν φέρει στον καταυλισμό αργά τη νύχτα. Εκείνη τη στιγμή βρισκόταν μαζί με τον Ασλάν. Πραγματικά, μόλις έφαγαν το πρωινό τους, βγήκαν κι είδαν το Λιοντάρι να σεργιανίζει μαζί με τον Έντμουντ στο νοτισμένο χορτάρι, μακριά απ' την υπόλοιπη ακολουθία. Δε χρειάζεται να σας πω (γιατί κανείς δεν άκουσε ποτέ) τι του είπε ο Ασλάν, αλλά εκείνη την κουβέντα ο Έντμουντ δεν την ξέχασε ποτέ. Βλέποντας τους άλλους, το Λιοντάρι προχώρησε προς το μέρος τους, παίρνοντας μαζί του και τον Έντμουντ.

«Να ο αδερφός σας», είπε. «Και — δε χρειάζεται να μιλήσετε για τα περασμένα».

Ο Έντμουντ τους έσφιξε τα χέρια κι είπε στον καθένα με τη σειρά «Συχώρεσέ με», κι όλοι αποκρίθηκαν «Δεν πειράζει». Και μετά ήθελαν να του πουν κάτι που να δείχνει ότι είχανε πια φιλιώσει — κάτι συνηθισμένο και αυθόρμητο — και φυσικά κανένας δε μπορούσε να σκεφτεί τίποτα. Μα πριν προλάβουν να νιώ-

135

σουν στ' αλήθεια αμήχανοι, ο ένας πάνθηρας πλησίασε τον Ασλάν και του είπε,

«Αφέντη, ένας μαντατοφόρος του εχθρού ζητάει ακρόαση».

«Φέρτε τον εδώ», είπε ο Ασλάν.

Ο πάνθηρας έφυγε και ξαναγύρισε οδηγώντας το νάνο της Μάγισσας.

«Τι μήνυμα μου φέρνεις, Γιε της Γης;» ρώτησε ο Ασλάν.

«Η Βασίλισσα της Νάρνια και Αυτοκράτειρα των Νησιών της Ερημιάς θέλει να της εγγυηθείς ασφαλή συνάντηση για να σου μιλήσει», είπε ο νάνος. «Πρόκειται για θέμα που είναι και για το δικό σου καλό και για το δικό της».

«Χαρά στη Βασίλισσα της Νάρνια!» είπε ο κύριος Κάστορας. «Άκου θράσος—».

«Ήσυχα, Κάστορα», είπε ο Ασλάν. «Σε λίγο όλοι οι τίτλοι θα δοθούν σ' αυτούς όπου ταιριάζουν. Στο μεταξύ, δεν έχει νόημα να τσακωνόμαστε για τέτοια. Πες στην κυρά σου, Γιε της Γης, ότι της εγγυώμαι ασφαλή συνάντηση μ' έναν όρο: ν' αφήσει το σκήπτρο της πίσω από τη μεγάλη βελανιδιά».

Κι αφού τα συμφώνησαν, οι δύο πάνθηρες ακολούθησαν το νάνο για να δουν αν θα τηρηθούν οι όροι. «Λες να κάνει και τους πάνθηρες πέτρα;» ψιθύρισε η Λούσυ στον Πήτερ. Θαρρώ πως κι οι πάνθηρες το ίδιο πρέπει να σκέφτηκαν όπως και να 'χει, προχωρούσαν με τη γούνα τους ανατριχιασμένη και την ουρά φουντωτή και καμπουρωτή – ίδια με της γάτας που βλέπει ξένο σκυλί.

«Δεν υπάρχει φόβος», της απάντησε ψιθυριστά ο Πήτερ. «Ο Ασλάν δε θα τους έστελνε αν δεν ήταν σίγουρος».

Σε λίγο η Μάγισσα ανέβηκε στην κορφή κι ήρθε και στάθηκε αντίκρυ στον Ασλάν. Τα τρία παιδιά, που δεν την είχαν ξαναδεί, ένιωσαν ένα ρίγος στη ραχοκοκαλιά τους βλέποντας το πρόσωπό της, και τα ζώα που ήταν εκεί γύρω μούγκρισαν σιγανά. Μ' όλο που ο ήλιος έλαμπε, όλοι τους ένιωσαν άξαφνα να κρυώνουν. Οι μόνοι που φαίνονταν ατάραχοι ήταν ο Ασλάν κι η Μάγισσα. Ήταν τόσο παράξενο να βλέπεις κοντά κοντά τα δυο πρόσωπα: ολόχρυσο το ένα, νεκρικά λευκό το άλλο. Όμως η Μάγισσα δεν κοίταζε στα μάτια τον Ασλάν, κι αυτό το πρόσεξε η κυρία Καστορίνα.

«Κοντά σου βρίσκεται ένας προδότης», είπε η Μάγισσα. Φυσικά, όλοι ήξεραν πως εννοούσε τον Έντμουντ, μα ο Έντμουντ είχε πάψει να σκέφτεται τον εαυτό του έπειτα απ' όσα πέρασε, κι απ' όσα κουβέντιασε εκείνο το πρωί. Είχε τα μάτια στυλωμένα στον Ασλάν και δε φάνηκε να ταράζεται με τα λόγια της Μάγισσας.

«Και λοιπόν;» είπε ο Ασλάν. «Εσένα πάντως δε σε πείραξε!».

«Ξέχασες τα Βαθιά Μάγια;» ρώτησε η Μάγισσα.

«Ας πούμε πως τα ξέχασα», απάντησε σοβαρά ο Ασλάν. «Πες μας, τι είναι τα Βαθιά Μάγια».

«Θέλεις να σας πω;» στρίγγλισε άγρια η Μάγισσα. «Να σας πω τι είναι γραμμένο σ' αυτό εδώ το Πέτρινο Τραπέζι που στέκει δίπλα μας; Τι είναι γραμμένο με γράμματα τόσο βαθιά ως εκεί που φτάνει το ακόντιο, πάνω στις πέτρες της φωτιάς του Ιερού Λόφου; Να σας πω τι είναι σκαλισμένο στο σκήπτρο του Αυτοκράτορα Πέρα απ' τη θάλασσα; Εσύ τουλάχιστον γνωρίζεις τα Μάγια που έκανε από την πρώτη αρχή ο Αυτοκράτορας στη Νάρνια. Ξέρεις πως κάθε προδότης ανήκει σε μένα, είναι νόμιμη λεία μου, και πως για κάθε προδοσία έχω το δικαίωμα να σκοτώνω».

«Α, μάλιστα», πετάχτηκε ο κύριος Κάστορας. «Τώρα καταλαβαίνω πώς άρχισες να πιστεύεις ότι είσαι η Βασίλισσα – επειδή ήσουνα δήμιος του Αυτοκράτορα!».

«Ήσυχα, Κάστορα», μούγκρισε σιγανά ο Ασλάν.

«Γι' αυτό λοιπόν», συνέχισε η Μάγισσα, «το αν-

θρωπάκι είναι δικό μου. Μπορώ να του πάρω τη ζωή, γιατί το αίμα του μου ανήκει».

«Δεν την παίρνεις αν σου βαστάει!» μούγκρισε δυνατά ο Ταύρος με το ανθρώπινο κεφάλι.

«Ηλίθιε!» είπε η Μάγισσα μ' ένα άγριο χαμόγελο που της στράβωνε το στόμα. «Θαρρείς πως ο αφέντης σου μπορεί να μου στερήσει τα δίκια μου με τη βία; Τα Βαθιά Μάγια τα ξέρει καλύτερα από μένα. Ξέρει πως αν δεν πάρω αίμα, όπως ορίζει ο Νόμος, η Νάρνια θα γυρίσει ανάποδα και θα πνιγεί στη φωτιά και το νερό».

«Είναι αλήθεια, δεν το αρνιέμαι», είπε ο Ασλάν.

« Αχ , καλέ μου Ασλάν», ψιθύρισε η Σούζαν στο αυτί του λιονταριού, «δεν μπορούμε – θέλω να πω, δεν πρέπει να το δεχτείς! Ας κάνουμε κάτι με τα Βαθιά Μάγια. Δεν ξέρεις να τα λύσεις;».

«Τα μάγια του αυτοκράτορα;» είπε ο Ασλάν και το πρόσωπό του σκοτείνιασε. Κανείς δεν τόλμησε να του ξαναμιλήσει.

Ο Έντμουντ στεκόταν στο άλλο πλευρό του Ασλάν, δίχως να παίρνει τα μάτια του από πάνω του. Ένιωθε το άδικο να τον πνίγει κι αναρωτιόταν μήπως πρέπει να μιλήσει. Κάτι μέσα του του έλεγε όμως ότι το σωστό είναι να σωπάσει, κι έπειτα να κάνει ό,τι του πουν.

«Πηγαίνετε όλοι σας!» φώναξε ο Ασλάν. «Θέλω να μιλήσω μόνος με τη Μάγισσα».

Υπάκουσαν. Ήταν γεμάτη αγωνία η ώρα που περίμεναν, δίχως να ξέρουν τι λέει το Λιοντάρι στη Μάγισσα, τόσο σοβαρά και σιγανά. Η Λούσυ έκανε, « Αχ Έντμουντ» κι έβαλε τα κλάματα. Ο Πήτερ είχε γυρίσει την πλάτη στους άλλους και κοίταζε πέρα, τη μακρινή θάλασσα. Οι Κάστορες στεκόντουσαν πιασμένοι απ' τα μπροστινά τους ποδαράκια, με το κεφάλι σκυφτό. Οι Κένταυροι χτυπούσαν ανήσυχοι τις οπλές τους. Στο τέλος όμως μείναν όλοι ασάλευτοι, κι έπεσε τέτοια σιωπή, που ξεχώριζες ακόμα και τους πιο ανάλαφρους ήχους – το βουητό της χρυσόμυγας ή το φτεροκόπημα των πουλιών κάτω στο δάσος, ή το αεράκι που θρόιζε στα φύλλα. Και το Λιοντάρι όλο και μιλούσε.

Κάποια στιγμή, ακούστηκε η φωνή του Ασλάν: Ελάτε όλοι. Το ζήτημα ταχτοποιήθηκε. Η Μάγισσα δε θέλει πια το αίμα του αδερφού σας» . Και πάνω

στο λόφο ακούστηκε ένα φύσημα, λες κι όλοι βαστού-
σαν την ανάσα τους και την έβγαλαν μεμιάς, κι ένα
μούρμουρο πήγε κι ήρθε απ' άκρη σ' άκρη.

Η Μάγισσα γύρισε να φύγει, με την όψη της παρα-
μορφωμένη από άγρια χαρά, αλλά πισωγύρισε:

«Και πώς θα ξέρω ότι θα κρατήσεις την υπόσχεσή
σου;».

«Χαα-ααα-ρρρρρρχ!» βρυχήθηκε ο Ασλάν και μι-
σοσηκώθηκε απ' το θρόνο του· και το πελώριο στόμα
του τεντώθηκε διάπλατο και το μουγκρητό του δυνά-
μωνε κι όλο δυνάμωνε, κι η Μάγισσα τον κοίταξε για
μια στιγμή σαστισμένη, κι έπειτα μάζεψε τις φούστες
της και το 'βαλε στα πόδια να σωθεί.

Ο θρίαμβος της μάγισσας

Όταν πια ξεμάκρυνε η Μάγισσα, μίλησε ο Ασλάν: «Πρέπει να φύγουμε αμέσως απ' αυτό τον τόπο. Τώρα προορίζεται γι' άλλους σκοπούς. Απόψε θα κατασκηνώσουμε στο Πέρασμα του Βερούνα».

Φυσικά όλους τους έτρωγε η περιέργεια να τον ρωτήσουν τι είχε κανονίσει με τη Μάγισσα, όμως το πρόσωπό του ήταν αυστηρό και στ' αυτιά τους αντηχούσε ακόμα ο φοβερός βρυχηθμός τους. Έτσι, κανένας δεν τόλμησε να μιλήσει.

Έφαγαν έξω, στην κορφή του λόφου (γιατί τώρα ο ήλιος είχε ζεστάνει και το χορτάρι στέγνωσε), κι άρχισαν να μαζεύουν τη σκηνή και τα πράγματά τους. Πριν απ' τις δύο το απόγευμα είχανε πάρει κιόλας το δρόμο για τα βορειοανατολικά, περπατώντας αργά γιατί δεν ήταν και μεγάλη απόσταση.

Στο πρώτο μέρος του ταξιδιού, ο Ασλάν εξήγησε στον Πήτερ τα σχέδιά του. «Μόλις τελειώσει τις δουλειές της σ' αυτά τα μέρη», είπε, «η Μάγισσα και οι δικοί της θα γυρίσουν σίγουρα στο σπίτι της και θα ετοιμαστούν για την πολιορκία. Ίσως καταφέρετε να τη σταματήσετε για να μη φτάσει ως εκεί, ίσως και όχι». Κι έπειτα του 'δωσε δυο σχέδια μάχης – το ένα για να χτυπήσουν τη Μάγισσα και τους δικούς της στο δάσος, και το άλλο για να επιτεθούν στο κάστρο της. Κι όλη την ώρα πρόσθετε συμβουλές για τις επιχειρήσεις – «Εδώ κι εκεί θα παρατάξεις τους Κενταύρους σου», ή «Πρέπει να βάλεις και προσκόπους μήπως γίνει έτσι-κι-έτσι», και στο τέλος ο Πήτερ είπε,

«Μα αφού θα βρίσκεσαι και συ εκεί, Ασλάν».

«Αυτό δε σου το υπόσχομαι», απάντησε το Λιοντάρι. Και συνέχισε να του δίνει οδηγίες.

Στο τελευταίο κομμάτι του ταξιδιού, ο Ασλάν έμεινε κοντά στη Σούζαν και τη Λούσυ. Δε μιλούσε πολύ και τους φάνηκε λυπημένος.

Αργά το απόγευμα κατέβηκαν σ' ένα σημείο όπου η κοιλάδα άνοιγε και το ποτάμι γινόταν φαρδύ και ρηχό. Εδώ ήταν το Πέρασμα του Βερούνα κι ο Ασλάν πρόσταξε να σταματήσουν σε τούτη την όχθη. Ο Πήτερ είπε όμως.

«Δε θα 'τανε καλύτερα να κατασκηνώσουμε στην απέναντι μεριά – μπορεί να μας επιτεθούν τη νύχτα!».

Ο Ασλάν, που φαινόταν να 'χει το νου του αλλού, σηκώθηκε τινάζοντας τη μεγαλόπρεπη χαίτη του και είπε, «Τι; Τι έγινε;» κι ο Πήτερ αναγκάστηκε να τον ξαναρωτήσει.

«Όχι», τον έκοψε ανόρεχτα ο Ασλάν, λες και δεν τον έμελε πια. «Όχι, απόψε δεν πρόκειται να επιτεθούν». Κι αναστέναξε βαθιά. Μα αμέσως έπειτα πρόσθεσε, «Πάντως σωστά το πρόβλεψες. Έτσι πρέπει να σκέφτεται ο στρατιώτης. Γι' απόψε όμως δεν έχει σημασία». Κι άρχισαν να στήνουν τη σκηνή.

Η κακοκεφιά του Ασλάν πέρασε σε όλους εκείνο το βράδυ. Ο Πήτερ δεν ένιωθε καλά στη σκέψη ότι θα

142

δώσει μόνος του τη μάχη. Η είδηση πως μπορεί να έλειπε ο Ασλάν τον είχε κλονίσει πολύ. Έφαγαν όλοι ήσυχα και σιωπηλά. Πόσο αλλιώτικα ήταν την περασμένη νύχτα, ή και το ίδιο εκείνο το πρωί. Λες κι οι καλές εποχές, που μόλις είχαν αρχίσει, έφταναν κιόλας στο τέλος τους.

Η Σούζαν ειχε ταραχτεί βαθιά από τούτο το κακό προαίσθημα, τόσο που, όταν πλάγιασε, δεν έλεγε να της κολλήσει ύπνος. Κι εκεί που καθόταν με μάτια ανοιχτά μετρώντας προβατάκια και στριφογυρίζοντας, άκουσε δίπλα της τη Λούσυ ν' αναστενάζει βαθιά και ν' αλλάζει πλευρό στο σκοτάδι.

«Ούτε συ κοιμάσαι;» είπε η Σούζαν.

«Όχι», είπε η Λούσυ. «Νόμιζα πως κοιμάσαι. Δε μου λες κάτι...».

«Τι;».

«Έχω ένα τρομερό προαίσθημα — σαν κάτι να κρέμεται από πάνω μας».

« Αλήθεια; Ξέρεις, κι εγώ το ίδιο νιώθω».

«Σα να 'ναι κάτι για τον Ασλάν», είπε η Λούσυ. «Κάτι φοβερό θα πάθει ή θα κάνει».

« Όλο το απόγευμα κάτι είχε», είπε η Σούζαν. «Κι ύστερα, θυμάσαι που μας είπε ότι δε θα 'ναι στη μάχη; Λες να το σκάσει και να μας αφήσει απόψε;».

«Πού να βρίσκεται τώρα;» είπε η Λούσυ. «Δεν είναι στη σκηνή;».

«Δε νομίζω».

«Πάμε έξω να ρίξουμε μια ματιά! Μπορεί να τον δούμε».

«Πάμε», είπε η Σούζαν. «Παρά να καθόμαστε ξύπνιες εδώ μέσα...».

Σιγά σιγά τα δυο κορίτσια σύρθηκαν ανάμεσα στους άλλους κοιμισμένους και βγήκαν από τη σκηνή.

Το φεγγάρι άστραφτε ολόλαμπρο κι όλα ήταν σιωπηλά· μόνο το ποτάμι ακουγόταν που μουρμούριζε πάνω στις πέτρες. Άξαφνα η Σούζαν άρπαξε τη Λούσυ από το μπράτσο. «Κοίτα!». Στην άλλη άκρη του καταυλισμού, εκεί που άρχιζαν τα δέντρα, είδαν το Λιοντάρι να προχωράει αργά και να μπαίνει στο δάσος. Το ακολούθησαν δίχως μιλιά.

Το Λιοντάρι ανηφόρισε την απότομη πλαγιά της κοιλάδας, κι έπειτα έστριψε δεξιά – παίρνοντας το ίδιο μονοπάτι που πέρασαν το απόγευμα, κατεβαίνοντας από το Λόφο με το Πέτρινο Τραπέζι. Τράβηξαν έτσι κάμποσο δρόμο πίσω του, μια στους νυχτερινούς ίσκιους και μια στο χλωμό φεγγαρόφωτο, και τα πόδια τους μούσκεψαν στη δροσιά. Έμοιαζε τόσο αλλιώτικο από τον Ασλάν που ήξεραν. Είχε κρεμάσει την ουρά και το κεφάλι και περπατούσε αργά, σα να 'ταν πολύ, μα πολύ κουρασμένο. Σ' ένα πλατύ ξέφωτο, δίχως σκιές για να κρυφτούν τα δυο κορίτσια, ο Ασλάν στάθηκε και κοίταξε πίσω του. Δεν είχε νόημα να το βάλουν στα πόδια, και τον ζύγωσαν. Όταν έφτασαν όμως κοντά, τους είπε,

« Αχ παιδιά μου, παιδιά μου, γιατί μ' ακολουθήσατε;».

«Δεν είχαμε ύπνο», είπε η Λούσυ – και τότε ένιωσε πως δε χρειάζεται να πει άλλα, γιατί ο Ασλάν διάβαζε τη σκέψη τους.

«Σε παρακαλούμε, άσε μας να 'ρθούμε μαζί σου, όπου κι αν πας», είπε η Σούζαν.

«Μα –» έκανε ο Ασλάν και φάνηκε συλλογισμένος. «Θα 'θελα όμως να 'χω συντροφιά απόψε», πρόσθεσε σε λίγο. «Καλά, να 'ρθείτε. Φτάνει να μου υποσχεθείτε πως θα σταματήσετε όταν σας πω, κι έπειτα θα μ' αφήσετε να συνεχίσω μόνος».

144

«Σ' ευχαριστούμε, όπως θέλεις θα γίνει», είπαν τα δυο παιδιά.

Έπιασαν πάλι να προχωρούν. Τα κορίτσια έβαλαν στη μέση το λιοντάρι. Μα πόσο αργά περπατούσε! Και το μεγάλο βασιλικό κεφάλι του ήταν σκυφτό, η μύτη του κόντευε ν' αγγίξει στο χορτάρι. Κάποια στιγμή σκόνταψε και μούγκρισε σιγανά.

«Ασλάν! Καλέ μου Ασλάν!» είπε η Λούσυ, «Τι τρέχει; Δεν κάνει να μας πεις;».

«Είσαι άρρωστος, καλέ μου Ασλάν;» είπε η Σούζαν.

«Όχι», απάντησε ο Ασλάν. «Είμαι μόνος και λυπημένος. Βάλτε τα χέρια σας στη χαίτη μου για να σας νιώθω κοντά, κι ας προχωρήσουμε έτσι».

Τα κοριτσάκια έκαναν τότε κάτι που ποτέ δε θα τολμούσαν δίχως την άδειά του, κι ας λαχταρούσαν να το κάνουν απ' όταν τον πρωταντίκρισαν: έχωσαν τα κρύα χεράκια τους σε κείνη την υπέροχη γουνένια θάλασσα και τη χάιδεψαν και πήρανε πάλι το δρόμο. Σε λίγο κατάλαβαν ότι ανηφορίζουν την ίδια πλαγιά του λόφου όπου βρισκόταν το Πέτρινο Τραπέζι. Διάλεξαν όμως μια μεριά που τα δέντρα έφταναν ως την κορυφή, κι όταν έφτασαν στο τελευταίο δέντρο (που είχε γύρω του πυκνούς θάμνους), ο Ασλάν σταμάτησε.

«Παιδιά μου, εδώ θα σας αφήσω. Κι ό,τι κι αν γίνει, το νου σας μη σας δουν. Έχετε γεια».

Τα δυο κορίτσια έκλαψαν πικρά (κι ας μην ήξεραν καλά καλά γιατί)· αγκάλιασαν σφιχτά το Λιοντάρι και του φίλησαν τη χαίτη και τη μύτη και τα πόδια και τα μεγάλα λυπημένα μάτια του. Έπειτα ο Ασλάν τους γύρισε τις πλάτες και ξεμάκρυνε. Η Σούζαν με τη Λούσυ, ζάρωσαν στους θάμνους, και τι να δουν!

146

Πλήθος μεγάλο είχε μαζευτεί γύρω στο Πέτρινο Τραπέζι, και μ' όλο που έλαμπε το φεγγάρι, κάμποσοι βαστούσαν αναμμένα δαδιά που έβγαζαν κόκκινες διαβολικές φλόγες και μαύρο καπνό. Και τι πλήθος! Τελώνια με απαίσια δόντια, λύκοι και άντρες με κεφάλια ταύρου· πνεύματα των καταραμένων δέντρων και των φαρμακερών φυτών, κι άλλα πλάσματα που δε θα σας τα περιγράψω γιατί, αν τολμούσα, τότε οι μεγάλοι δε θα σας άφηναν ίσως να διαβάσετε τούτο το βιβλίο – Λάμιες και Στρίγγλες και Δαιμόνια του Ύπνου, Στοιχειά, Εφιάλτες, Αφρίτ και Ξωτικά, Μπαμπούλες και Μέγαιρες και Φαντάσματα. Βρίσκονταν δηλαδή εκεί όσοι είχαν πάει με το μέρος της Μάγισσας και τους είχε φωνάξει ο Λύκος έπειτα από τη διαταγή της. Στη μέση ακριβώς, δίπλα στο Πέτρινο Τραπέζι, στεκόταν η Λευκή Μάγισσα.

Ουρλιαχτά κι απαίσιες στριγγλιές ξεπήδησαν από τ' ανοιχτά στόματα των δαιμόνων σαν είδαν το μεγάλο Λιοντάρι να πλησιάζει, και για μια στιγμή ακόμα κι η Μάγισσα φάνηκε να τα χάνει. Συγκρατήθηκε όμως και γέλασε άγρια και μανιασμένα.

« Ο ηλίθιος!» φώναξε. «Ήρθε ο ηλίθιος! Δέστε τον γερά!».

Ο Λούσυ κι η Σούζαν βάστηξαν την ανάσα τους, περιμένοντας το βρυχηθμό του Ασλάν. Ήθελα να τον δουν να χυμάει στους εχθρούς του – μα τίποτα δεν έγινε. Τέσσερις Στρίγγλες, με περιγέλια και φριχτές τσιρίδες τον ζύγωσαν, αλλά (στην αρχή) σε κάποια απόσταση, λιγάκι φοβισμένες μ' αυτό· που έπρεπε να κάνουν. «Δέστε τον είπα!» ξαναφώναξε η Λευκή Μάγισσα. Μεμιάς, οι Στρίγγλες του χύμηξαν και βλέποντας πως το Λιοντάρι δεν αντιστεκόταν έβαλαν άγρια ουρλιαχτά θριάμβου. Τότε κι οι άλλοι – διαβολικοί

147

νάνοι και πίθηκοι – έτρεξαν να τις βοηθήσουν, κύλησαν το πελώριο Λιοντάρι ανάσκελα και του 'δεσαν τα πόδια ξεφωνίζοντας και κάνοντας χαρές μεγάλες, λες κι είχαν καταφέρει κατιτί πολύ γενναίο – αν και, φτάνει να το αποφάσιζε, ένα μονάχα χτύπημα του τρομερού ποδιού του θα 'ταν ο θάνατός τους. Ο Ασλάν δεν έβγαλε μιλιά, ακόμα κι όταν οι εχθροί του, σφίγγοντας και τραβώντας, έδεσαν τα σκοινιά τότε γερά που του 'κοψαν τις σάρκες. Κι έπειτα άρχισαν να τον σέρνουν κατά το Πέτρινο Τραπέζι.

«Σταθείτε!» φώναξε η Μάγισσα. «Πρώτα πρέπει να τον κουρέψετε!».

Κι άλλο ουρλιαχτό και γέλια στριγγά ακολούθησαν, καθώς ένα τελώνιο ζύγωσε τον Ασλάν μ' ένα ψαλίδι και κάθησε δίπλα στο κεφάλι του. Τσακ-τσακ-τσακ έκανε το ψαλίδι, και πελώριες χρυσές μπούκλες άρχισαν να πέφτουν στο χώμα. Το τελώνιο παραμέρισε, και τα παιδιά είδαν απ' την κρυψώνα τους το πρόσωπο του Λιονταριού, μικρό κι αλλιώτικο δίχως τη χαίτη του. Μα κι οι εχθροί του πρόσεξαν τη διαφορά.

«Τι θαρρείτε πως είναι στο κάτω κάτω; Μια μεγάλη γάτα!» φώναξε ένας.

«Μωρέ, αυτό εδώ φοβόμαστε;» είπε ένας άλλος.

Μαζεύτηκαν τότε όλοι γύρω απ' τον Ασλάν κι άρχισαν να τον κοροϊδεύουν. «Ψι-ψι-ψι! Καημένη Ψιψίνα!» ή «Πόσα ποντίκια έπιασες σήμερα, Γατούλη μου;» και «Ψιψινάκι, θέλεις λίγο γάλα;».

«Αχ, πώς μπορούνε!» είπε η Λούσυ και δάκρυα κύλησαν στα μάγουλά της. «Είναι τέρατα! Τέρατα!». Γιατί, απ' τη στιγμή που πέρασε η πρώτη ταραχή, το κουρεμένο κεφάλι του Ασλάν της φάνηκε πιο γενναίο κι όμορφο και καρτερικό από ποτέ.

«Φιμώστε τον!» ειπε η Μάγισσα.

Ακόμα και τώρα, έτσι γερμένοι καθώς ήταν από πάνω του για να του βάλουν το φίμωτρο, μια δαγκωνιά από τα τρομερά σαγόνια του θα στοίχιζε σε κανά δυο τα χέρια τους. Όμως ο Ασλάν δε σάλεψε. Κι αυτό φάνηκε να δαιμονίζει ακόμα περισσότερο το πλήθος των στοιχειών. Τώρα έπεσαν όλοι πάνω του, κι αυτοί που τον έτρεμαν πρώτα βρήκαν το θάρρος τους, αφού ήταν δεμένος, και για κάμποσα λεπτά τα δυο κορίτσια έχασαν απ' τα μάτια τους το Λιοντάρι – τόσο πυκνό ήταν το πλήθος που το τριγύρισε, πλάσματα αλλόκοτα που το κλοτσούσαν και το 'δερναν, το έφτυναν και το περιγελούσαν.

Στο τέλος, τα δαιμόνια χόρτασαν. Έπιασαν τότε να το σέρνουν, δεμένο και φιμωμένο, κατά το Πέτρινο Τραπέζι, άλλοι σπρώχνοντας κι άλλοι τραβώντας. Ο Ασλάν ήτανε όμως πελώριος, τόσο που, ακόμα κι όταν τον έφεραν ως εκεί, χρειάστηκε να βάλουν τα δυνατά τους για να τον ανεβάσουν στο Τραπέζι. Κατόπι τον έδεσαν κι άλλο και σφίξαν δυνατά τα σκοινιά.

«Κοίτα τους δειλούς! Τους άνανδρους!» έκανε με λυγμούς η Σούζαν. «Ακόμα τον φοβούνται; Ακόμα και τώρα;».

Όταν πια δέσαν τον Ασλάν (τόσο πολύ, που έμοιαζε με κουβάρι μπερδεμένα σκοινιά) πάνω στην πέτρινη πλάκα, σιωπή βαθιά έπεσε παντού. Τέσσερις Στρίγγλες μ' αναμμένα δαδιά στάθηκαν στις γωνιές του Τραπεζιού. Η Μάγισσα γύμνωσε τα χέρια της, όπως την περασμένη νύχτα – μόνο που τότε στη θέση του Ασλάν βρισκόταν ο Έντμουντ – κι έπειτα άρχισε ν' ακονίζει το μαχαίρι της. Ετούτο το μαχαίρι, καθώς έπεφταν πάνω του οι ανταύγειες από τη φλόγα των δαδιών, φάνηκε στα παιδιά καμωμένο από πέτρα, κι όχι από ατσάλι, αλλά σε σχήμα αλλόκοτο, διαβολικό.

Στο τέλος, η Μάγισσα πλησίασε. Στάθηκε πάνω από το κεφάλι του Ασλάν, με πρόσωπο παραμορφωμένο από μανία. Το πρόσωπο του Λιονταριού όμως ήταν γυρισμένο κατά τον ουρανό, ήρεμο, μήτε θυμωμένο, μήτε φοβισμένο, γεμάτο από βαθιά, γαλήνια θλίψη. Και τότε, πριν δώσει το χτύπημα, η Μάγισσα έσκυψε και του είπε με φωνή που έτρεμε,

«Λοιπόν, ποιος είναι ο νικητής; Ηλίθιε, νόμιζες πως μ' όλα αυτά θα σώσεις τον προδότη άνθρωπο; Τώρα θα σκοτώσω εσένα αντί για κείνον, όπως συμφωνήσαμε, για να ικανοποιηθούν τα Βαθιά Μάγια. Μα όταν πια θα είσαι νεκρός, τι μ' εμποδίζει να τον σκοτώσω; Ποιος θα τον βγάλει τότε από τα χέρια μου; Καταλαβαίνεις τι έκανες; Μου χάρισες τη Νάρνια για πάντα. Έχασες τη ζωή σου – και μήτε τη δική του ζωή έσωσες. Και τώρα, με τη γνώση αυτή, απελπίσου και πέθανε!».

Τα παιδιά δεν είδαν το μαχαίρι να κατεβαίνει. Την τελευταία στιγμή δεν άντεξαν πια να κοιτάξουν και σκέπασαν τα μάτια τους.

Μάγια ακόμα πιο βαθιά
πριν από τη χαραυγή του χρόνου

Εκεί που κάθονταν ζαρωμένα στους θάμνους, με τα χέρια στο πρόσωπο, τα δυο κορίτσια άκουσαν τη φωνή της Μάγισσας:

«Και τώρα ακολουθήστε με! Πρέπει να ετοιμάσουμε ό,τι απομένει για τη μάχη! Δε θέλουμε και πολύ για να συντρίψουμε τα ανθρώπινα σκουλήκια τώρα που πέθανε ο μεγάλος Ηλίθιος, η μεγάλη Γάτα!».

Για μια στιγμή τα παιδιά βρέθηκαν σε φοβερό κίνδυνο. Γιατί, με άγριες κραυγές και ένα χαλασμό από σουραύλια που έσκουζαν και βούκινα στριγγά που σε ξεκούφαιναν, όλο το ανόσιο κοπάδι κατρακύλησε την πλαγιά, περνώντας ακριβώς μπροστά από την κρυψώνα τους. Ένιωθαν τα φαντάσματα να διαβαίνουν πλάι τους σαν κρύος άνεμος κι η γη έτρεμε από το ποδοβολητό των Μινώταυρων· ψηλά, απαίσιες φτερούγες ανάδευαν τον αέρα, κι όλα μαύριζαν από τα όρνια και τις γιγάντιες νυχτερίδες. Αν ήταν σ' άλλη στιγμή, θα τρέμαν απ' το φόβο τους· τώρα όμως, η πίκρα κι η ντροπή κι η φρίκη για το θάνατο του Ασ-

λάν τις είχαν κυριέψει τόσο, που δεν πρόλαβαν να
σκεφτούν τίποτ' άλλο.

Όταν ησύχασε πάλι το δάσος, η Σούζαν κι η Λούσυ
πλησίασαν σέρνοντας την ανοιχτή κορυφή. Το φεγ-

γάρι είχε χαμηλώσει κι αραιά σύννεφα περνούσαν από μπροστά του – όμως κατάφεραν να ξεχωρίσουν τον όγκο του Λιονταριού, που κείτονταν νεκρό και δεμένο. Γονάτισαν κι οι δύο στα βρεγμένα χόρτα και φίλησαν το κρύο του πρόσωπο, χάιδεψαν την όμορφη γούνα του (ό,τι είχε απομείνει δηλαδή) κι έκλαψαν τόσο, ώσπου πια τους στέρεψαν τα δάκρυα. Τότε κοιτάχτηκαν και πιάστηκαν από το χέρι, κι ένιωσαν τόσο μόνες, που τις πήρανε ξανά τα κλάματα. Και πάλι έπεσε σιωπή. Στο τέλος η Λούσυ είπε:

«Δεν αντέχω να βλέπω αυτό το απαίσιο φίμωτρο. Λες να τα καταφέρουμε να του το βγάλουμε;».

Προσπάθησαν λοιπόν. Κι έπειτα από μεγάλο παίδεμα, γιατί τα δάχτυλά τους ήταν ξυλιασμένα κι η νύχτα βαθιά και σκοτεινή, τα κατάφεραν. Κι ύστερα, βλέποντας το πρόσωπό του δίχως φίμωτρο, ξέσπασαν πάλι σε αναφιλητά και το χάιδευαν και του σκούπιζαν όπως μπορούσαν τα αίματα και τους αφρούς. Κι ένιωθαν τόσο μόνες κι απελπισμένες και τρομαγμένες, που δε γίνεται να σας το περιγράψω με λόγια.

«Δοκιμάζουμε να τον λύσουμε;» είπε σε λίγο η Σούζαν. Όμως οι δαίμονες, από τη λύσσα τους, είχανε σφίξει τόσο τα σκοινιά, που τα δυο παιδιά δεν κατάφεραν να λύσουν τους κόμπους.

Ελπίζω κανείς από σας που με διαβάζετε να μην έχει νιώσει ποτέ τόσο άσχημα, όσο η Σούζαν και η Λούσυ εκείνη τη νύχτα αν το 'χετε νιώσει όμως, αν έχετε περάσει όλη νύχτα κλαίγοντας, ώσπου πια να μη σας μείνουν δάκρυα, τότε θα ξέρετε ότι στο τέλος έρχεται κάτι σα γαλήνη. Νιώθεις πως τίποτα πια δεν πρόκειται να συμβεί. Ή τουλάχιστον έτσι ένιωθαν αυτές οι δυο. Ώρες ατέλειωτες φάνηκαν να περνούν μέσα σε νεκρική σιγαλιά, και μήτε που πρόσεξαν ότι

153

είχαν παγώσει για τα καλά. Στο τέλος όμως, η Λούσυ πήρε είδηση δυο πράγματα. Πρώτο, πως ο ουρανός στ' ανατολικά του λόφου ήταν λιγότερο σκοτεινός από πριν. Και δεύτερο, κάτι που σάλευε ελαφρά στα χόρτα, κοντά στα πόδια της. Στην αρχή δεν έδωσε σημασία. Και τι μ' αυτό; Τίποτα δεν την ένοιαζε πια. Στο τέλος όμως κατάλαβε πως εκείνο που σάλευε, ό,τι κι αν ήταν, είχε αρχίσει να σκαρφαλώνει στις κατακόρυφες πέτρες του Τραπεζιού. Και τώρα αυτό το κατιτί σερνόταν πάνω στο κορμί του Ασλάν. Κοίταξε από

κοντά. Ήταν ένα σωρό μικρά σταχτιά πλασματάκια.

«Ουφ!» είπε η Σούζαν από την άλλη μεριά του Τραπεζιού. «Τι φρίκη! Είναι ποντικάκια! Κοίτα πώς σκαρφαλώνουν πάνω του. Δρόμο, τέρατα!» και σήκωσε το χέρι για να τα τρομάξει.

«Στάσου!» είπε η Λούσυ που βρισκόταν πιο κοντά. «Δε βλέπεις τι κάνουν;».

Τα δυο κορίτσια έσκυψαν και κοίταξαν.

«Μου φαίνεται πως —» έκανε η Σούζαν. «Μα τι παράξενο! Του κόβουν με τα δόντια τους τα σκοινιά!».

«Αυτό σκέφτηκα κι εγώ!» είπε η Λούσυ. «Πρέπει να είναι καλά ποντίκια. Τα καημένα – δεν ξέρουν πως είναι νεκρός. Θαρρούν πως θα τον βοηθήσουν, γι' αυτό τον λύνουν».

Τώρα πια έφεγγε αρκετά. Η καθεμιά τους πρόσεξε για πρώτη φορά πόσο άσπρο ήταν το πρόσωπο της άλλης. Κάτω τα ποντίκια μασούλιζαν – δεκάδες, εκατοντάδες μικρά ποντικάκια των αγρών. Και στο τέλος, ένα ένα τα σκοινιά έπεσαν κομματιασμένα.

Ο ουρανός στ' ανατολικά είχε γίνει πια ασπρουδερός και τ' αστέρια έσβηναν – όλα, εκτός από ένα, πολύ μεγάλο, χαμηλά πάνω από την ανατολή. Ένιωσαν πιο πολύ το κρύο τώρα, παρά τη νύχτα. Τα ποντίκια έφυγαν.

Τα παιδιά έβγαλαν ό,τι απόμενε από τα κομμένα σκοινιά. Δίχως αυτά, ο Ασλάν έμοιαζε πιο πολύ σαν πρώτα. Κάθε στιγμή το νεκρό του πρόσωπο φαινόταν πιο ευγενικό, και το 'βλεπαν καλύτερα όσο δυνάμωνε το φως.

Πίσω τους, βαθιά στο δάσος, σφύριξε ένα πουλί. Έπειτα από τόσες ώρες σιγαλιά, τινάχτηκαν ξαφνιασμένες. Ένα άλλο πουλί του απάντησε. Σε λίγο το τραγούδι τους είχε φουντώσει παντού.

Τώρα πια ήταν ξημέρωμα, κι όχι βαθιά χαράματα.

«Κρυώνω», είπε η Λούσυ.

«Κι εγώ», είπε η Σούζαν. «Έλα να περπατήσουμε λιγάκι».

Προχώρησαν ως την ανατολική άκρη του λόφου, και κοίταξαν κάτω. Το μεγάλο αστέρι χανόταν. Όλα γύρω θαμπόφεγγαν σταχτιά, αλλά πέρα, στην άκρη του κόσμου, η θάλασσα γυαλοκοπούσε. Ο ουρανός άρχισε να κοκκινίζει. Πήγανε πέρα δώθε κάμποσες φορές, μήτε που τις μέτρησαν, μια στο νεκρό Ασλάν και μια στην ανατολική άκρη, πασχίζοντας να ζεσταθούν· τα πόδια τους δεν τις βαστούσαν. Στο τέλος στάθηκαν και κοίταξαν τη θάλασσα και το Κάιρ Πάραβελ (που τώρα φαινόταν καθαρά)· το κόκκινο έγινε χρυσαφί σ' όλη τη γραμμή που έσμιγε θάλασσα κι ουρανός, κι αργά φάνηκε ν' ανεβαίνει μια ακρούλα ήλιος. Εκείνη τη στιγμή ένα δυνατό τρίξιμο ακούστηκε πίσω τους – κάτι τσακίστηκε, παίρνοντάς τους τ' αυτιά, λες και κάποιος γίγαντας έσπασε ένα πελώριο πιάτο.

«Τι έκανε έτσι;» είπε η Λούσυ κι άρπαξε το χέρι της Σούζαν.

«Φο-φοβάμαι να γυρίσω», είπε η Σούζαν. «Θα 'ναι σίγουρα κάτι τρομερό».

«Λες να του κάνουν τίποτα χειρότερο;» είπε η Λούσυ. «Έλα!». Και γύρισε τραβώντας και τη Σούζαν.

Στο φως του ήλιου όλα μοιάζαν αλλιώτικα – τα χρώματα κι οι ίσκιοι είχαν αλλάξει – κι έτσι, για μια στιγμή, δεν είδαν το πιο σπουδαίο. Μα έπειτα το πρόσεξαν. Το Πέτρινο Τραπέζι είχε γίνει δυο κομμάτια, μια μεγάλη χαρακιά το έκοβε απ' άκρη σ' άκρη. Ο Ασλάν δε φαινόταν πουθενά.

Τα δυο κορίτσια έτρεξαν με φωνές στο Πέτρινο Τραπέζι.

«Αυτό πια παραπάει!» είπε κλαίγοντας η Λούσυ. «Τουλάχιστον ας άφηναν ήσυχο το σώμα του».

«Ποιος το 'κανε;» φώναξε η Σούζαν. «Τι 'ναι πάλι τούτο; Κι άλλα μάγια;».

«Ναι», είπε πίσω τους μια δυνατή φωνή. «Κι άλλα μάγια». Γύρισαν ξαφνιασμένες. Αστράφτοντας στο φως της ανατολής, πιο μεγάλος από ποτέ, τινάζοντας τη φουντωτή χαίτη του (που είχε ξαναμεγαλώσει) στεκόταν ο Ασλάν.

« Αχ, Ασλάν!» φώναξαν και τα δυο παιδιά και τον κοιτουσαν χαμένα, όμοια τρομαγμένα και χαρούμενα.

«Μα δεν είσαι νεκρός, καλέ μου Ασλάν;» είπε η Λούσυ.

«Όχι πια», είπε ο Ασλάν.

«Μήπως είσαι – μήπως –» είπε η Σούζαν με φωνή που έτρεμε. Δεν της πήγαινε να πει τη λέξη *φάντασμα*.

Ο Ασλάν έσκυψε το χρυσό κεφάλι του και την έγλειψε στο μέτωπο. Την τύλιξε η ζέστα της ανάσας

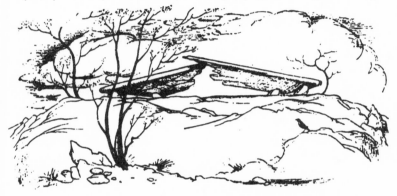

του, και μαζί μια πλούσια μυρωδιά που έμοιαζε να κρέμεται στη χαίτη του.

«Μοιάζω για φάντασμα;» είπε.

«Όχι, είσαι πραγματικός, πραγματικός, καλέ μου Ασλάν!» φώναξε η Λούσυ, και τα δυο κορίτσια χύθηκαν πάνω του και τον σκέπασαν με φιλιά.

«Μα τι σημαίνουν όλα αυτά;» ρώτησε η Σούζαν όταν ησύχασαν κάπως.

«Σημαίνουν», είπε ο Ασλάν, «πως πέρα από τα Βαθιά Μάγια που ήξερε η Μάγισσα, υπάρχουν και κάτι μάγια ακόμα πιο βαθιά, που δεν τα γνώριζε. Η γνώση της φτάνει μονάχα ως τη χαραυγή του χρόνου.

157

Αν όμως μπορούσε να κοιτάξει λίγο πιο μακριά, μες στο ασάλευτο σκοτάδι πριν από τη χαραυγή του χρόνου, θα διάβαζε κάτι διαφορετικό. Θα μάθαινε πως όταν ένα πρόθυμο θύμα που δεν έφταιξε σε τίποτα, σκοτωθεί στη θέση του προδότη, το τραπέζι θα ραγίσει κι ο θάνατος θα γίνει ζωή. Και τώρα —».

«Και τώρα;» φώναξε η Λούσυ χοροπηδώντας, και χτύπησε τα χέρια.

«Παιδιά μου!» είπε το Λιοντάρι. «Νιώθω τη δύναμή μου να ξαναγυρίζει. Πιάστε με, αν μπορείτε!». Στάθηκε μια στιγμή και τα μάτια του άστραψαν, σάλεψε τα πόδια, χτύπησε την ουρά, έδωσε ένα σάλτο ψηλά πάνω από τα κεφάλια τους και βρέθηκε στην άλλη μεριά του Τραπεζιού. Γελώντας, δίχως καλά καλά να ξέρει γιατί, η Λούσυ όρμησε να τον πιάσει. Ο Ασλάν ξαναπήδηξε. Κι άρχισε ένα τρελό κυνηγητό. Γύρω γύρω στην κορυφή του λόφου, μπρος ο Ασλάν και πίσω τα παιδιά, δίχως να τον προφταίνουν. Μια τις άφηνε ν' αγγίξουν σχεδόν την ουρά του, μια βουτούσε ανάμεσά τους, μια τις πετούσε στον αέρα με τα πελώρια βελουδένια πόδια του και μια τις ξανάπιανε, μια σταματούσε απότομα κι οι τρεις κουτρουβαλούσαν ξεκαρδισμένοι στα γέλια, ένας σωρός από γούνες και χέρια και πόδια. Και ήτανε τέτοιο γλέντι, από κείνα που μόνο στη Νάρνια μπορούν να γίνουν · κι η Λούσυ δεν ήξερε να πει αν έπαιζε με γατάκι ή με κεραυνό. Το περίεργο όμως είναι πως όταν ξάπλωσαν στο τέλος κι οι τρεις τους λαχανιασμένοι στη λιακάδα, τα κορίτσια δεν ένιωθαν πια κούραση, μήτε πείνα ή δίψα.

«Και τώρα», είπε ο Ασλάν, «μας περιμένει δουλειά. Πρώτα όμως θέλω να βρυχηθώ. Καλύτερα να κλείσετε τ' αυτιά σας».

Έτσι κι έκαναν. Κι ο Ασλάν σηκώθηκε κι άνοιξε τυ στόμα του να βρυχηθεί και το πρόσωπό του έγινε τόσο τρομερό που δεν τολμούσαν να τον κοιτάξουν. Κι είδαν όλα τα δέντρα μπροστά του να γέρνουν από τη δύναμη της φωνής του, όπως το χόρτο στα λιβάδια με τον άνεμο. Έπειτα είπε,

«Έχουμε να κάνουμε μεγάλο ταξίδι. Ανεβείτε στη ράχη μου». Έσκυψε και τα παιδιά σκαρφάλωσαν στη ζεστή χρυσαφένια ράχη του. Πρώτη κάθισε η Σούζαν, βαστώντας του σφιχτά τη χαίτη, και πίσω η Λούσυ, αρπαγμένη γερά πάνω από τη Σούζαν. Και μ' ένα τεράστιο σάλτο, το λιοντάρι τινάχτηκε, πιο γρήγορα από άγριο άτι, κατέβηκε το λόφο και χώθηκε στο πυκνό δάσος.

Εκείνο το ταξίδι ήτανε το δίχως άλλο το πιο υπέροχο που γνώρισαν στη Νάρνια. Έχετε τρέξει ποτέ σας με άλογο; Για σκεφτείτε το πάλι· κι έπειτα βγάλτε το βαρύ ποδοβολητό και τα γκέμια που κροταλίζουν, και φανταστείτε κάτι πελώρια απαλά πόδια να τρέχουν αθόρυβα. Φανταστείτε έπειτα, αντί για τη μαύρη ή τη σταχτιά ή την καστανή ράχη του αλόγου, την απαλή χρυσαφένια γούνα και τη χαίτη που κυματίζει στον άνεμο. Κι έπειτα φανταστείτε πως πηγαίνετε δυο φορές πιο γρήγορα από το πιο φτερωτό άλογο του ιπποδρόμου. Μόνο που αυτό εδώ δε χρειάζεται να το οδηγείς, μήτε κουράζεται ποτέ. Τρέχει κι όλο τρέχει, δίχως να χάσει βήμα, δίχως ποτέ να διστάσει, ανοίγει μοναχό του δρόμο ανάμεσα στους κορμούς των δέντρων, πηδάει θάμνους και ρουμάνια και μικρά ρυάκια, τσαλαβουτάει στα ποτάμια. Και δεν τρέχετε σε δρόμο ή σε πάρκο, αλλά διασχίζετε τη Νάρνια, στην καρδιά της άνοιξης, κατηφορίζοντας σιωπηλές λεωφόρους με σημύδες, περνάτε λιόλουστα ξέφωτα με βελανιδιές, άγριους δεντρόκηπους με χιονισμένες κερασιές, καταρράχτες που μουγκρίζουν και χορταριασμένα βράχια και σπηλιές που αντηχούν, ανεβαίνετε ανεμόδαρτες πλαγιές όπου φέγγουν τα κιτρινολούλουδα, στενά βουνίσια μονοπάτια όλο ρείκια, σαμάρια απόκρημνα γλιστερά, και κατεβαίνετε, κάτω, κάτω χαμηλά, σε βαθιές άγριες κοιλάδες και σε απέραντα λιβάδια με γαλάζια αγριολούλουδα.

Κόντευε πια μεσημέρι, όταν στάθηκαν σε μιαν απόκρημνη πλαγιά. Απέναντί τους στεκόταν ένα κάστρο – σαν παιχνίδι τους φάνηκε από τόσο ψηλά – γεμάτο σουβλερούς πύργους. Όμως το Λιοντάρι έπιασε πάλι να κατεβαίνει με τέτοια ταχύτητα που, πριν προλάβουν ν' αναρωτηθούν τι είναι, κόντευαν πια να το φτάσουν. Και τώρα δεν έμοιαζε με παιχνίδι, αλλά ορθωνόταν μπροστά τους σκοτεινό και άγριο. Στις πολεμίστρες του δε φαινόταν ψυχή, κι είχε τις πύλες διπλοσφαλισμένες. Κι ο Ασλάν, δίχως να σιγανέψει τον καλπασμό του, έτρεχε ίσια καταπάνω του σα σφαίρα.

«Να το σπίτι της Μάγισσας!» φώναξε. «Και τώρα παιδιά, κρατηθείτε γερά!».

Την άλλη στιγμή, τους φάνηκε πως ο κόσμος γύριζε τα πάνω κάτω, κι ένιωσαν την κοιλιά τους να φεύγει· γιατί το Λιοντάρι μαζεύτηκε για το μεγαλύτερο άλμα που είχε κάνει ποτέ και πήδηξε – ή μάλλον πέταξε – ορμητικά πάνω από τα τείχη του κάστρου. Τα δυο κορίτσια γερά αλλά με την ανάσα τους κομμένη, ένιωσαν να κουτρουβαλούν από τη ράχη του στη μέση μιας πέτρινης αυλής, που ήταν γεμάτη αγάλματα.

Τι απόγιναν τα αγάλματα

«Τι απίθανος τόπος!» φώναξε η Λούσυ. «Μ' όλα τούτα τα πέτρινα ζώα – και τα πλάσματα! Είναι – μοιάζει με μουσείο».

«Σουτ!» είπε η Σούζαν. «Δες τι κάνει ο Ασλάν».

Πραγματικά, ο Ασλάν είχε ζυγώσει αθόρυβα το πέτρινο λιοντάρι, και το χουχούλιζε με την ανάσα του. Κι έπειτα, δίχως να περιμένει στιγμή, στριφογύρισε – σα γάτα που κυνηγάει την ουρά της – και χουχούλισε τον πέτρινο νάνο που, όπως θα θυμόσαστε, βρισκόταν εκεί κοντά, με τις πλάτες γυρισμένες στο λιοντάρι. Κατόπι έτρεξε σε μια ψηλή πέτρινη Δρυάδα που στεκόταν πίσω από το νάνο, κι από κει σ' ένα πέτρινο λαγουδάκι στα δεξιά του, και παραπέρα σε δυο Κένταυρους. Εκείνη τη στιγμή η Λούσυ φώναξε,

« Αχ κοίτα Σούζαν! Κοίτα το λιοντάρι!».

Σίγουρα θα έτυχε να δείτε ν' ανάβουνε τζάκι, μ' ένα κομμάτι εφημερίδα· βάζουν από κάτω ένα αναμμένο σπίρτο, και για μια στιγμή φαίνεται πως δεν έγινε τίποτα· ώσπου, σε λίγο βλέπετε ένα μικρό ρυάκι από φλόγα να σέρνεται στην άκρη της εφημερίδας. Κάτι τέτοιο έπαθε τώρα το πέτρινο λιοντάρι. Για μια στιγμή απ' όταν το χουχούλισε ο Ασλάν, τίποτα δεν άλλαξε. Έπειτα, ένα λεπτό χρυσό ρυάκι κύλισε στην άσπρη πέτρινη ράχη του κι άπλωσε, το χρώμα το αγκάλιασε ολόκληρο όπως η φλόγα το χαρτί – και στο τέλος, ενώ τα πισινά του πόδια ήταν ακόμα πετρωμένα το λιοντάρι τίναξε τη χαίτη του κι οι βαριές πέτρινες πτυχές ξεδιπλώθηκαν σε ζωντανή τρίχα.

Άνοιξε τότε ένα μεγάλο κόκκινο στόμα, ζεστό και ζωντανό, και χασμουρήθηκε με την ψυχή του. Στο μεταξύ ζωντάνεψαν και τα πισινά του πόδια. Σήκωσε το ένα και ξύστηκε βλέποντας τότε τον Ασλάν, τον πλησίασε τρεχάτο κι άρχισε να χορεύει και να πηδάει γύρω του γουργουρίζοντας χαρούμενο και να του γλείφει το πρόσωπο.

Τα παιδιά δε χόρταιναν να κοιτάζουν το λιοντάρι. Καθώς γυρνούσαν όμως, το θέαμα που αντίκρισαν ήτανε τόσο υπέροχο, που το ξέχασαν μεμιάς. Παντού τ' αγάλματα ζωντάνευαν. Η αυλή δεν ήταν πια μουσείο – πιο πολύ με ζωολογικό κήπο έμοιαζε. Παράξενα πλάσματα έτρεχαν πίσω από τον Ασλάν, και χόρευαν γύρω του ώσπου τον έκρυψαν σχεδόν. Εκεί όπου πρώτα βασίλευε μονάχα η νεκρική ασπράδα της αυλής, τα χρώματα ξεσπούσαν και σε τύφλωναν· γυάλιζαν καστανά τα πλευρά των κενταύρων, ιρίδιζαν τα κέρατα των μονόκερων, άστραφτε το φτέρωμα των πουλιών, τρέχαν κοκκινοκάστανες οι αλεπούδες, τα σκυλιά κι οι σάτυροι, οι νάνοι είχαν κίτρινες κάλτσες και πορφυρές κουκούλες και τα κορίτσια της σημύδας ήταν ασημένια, και τα κορίτσια της οξιάς διάφανα, πράσινα της δροσιάς και τα κορίτσια των πεύκων τόσο φωτεινά πράσινα που έμοιαζαν σχεδόν κίτρινα. Κι αντί για τη θανατερή σιωπή, όλος ο τόπος αντηχούσε χαρούμενα από ευτυχισμένα μουγκρητά,

γκαρίσματα, τσιρίδες και γαυγίσματα, κακαρίσματα και χρεμετίσματα, ποδοβολητά, φωνές, ζητωκραυγές, γέλια και τραγούδια.

«Αααα!» έκανε η Σούζαν, φοβισμένη τώρα.

«Κοίτα! Λες να – θέλω να πω, δεν υπάρχει φόβος;».

Η Λούσυ κοίταξε, κι είδε τον Ασλάν να χουχουλίζει τα πόδια του πέτρινου γίγαντα.

«Κανένας φόβος!» φώναξε χαρούμενα ο Ασλάν. «Μόλις συνέρθουν τα πόδια του, θ' ακολουθήσει κι ο υπόλοιπος». «Δεν εννοούσα αυτό», ψιθύρισε η Σούζαν στη Λούσυ.

Τώρα πια όμως ήταν πολύ αργά για να κάνουν τίποτα – ακόμα κι αν τις είχε ακούσει ο Ασλάν. Η αλλαγή άρχιζε στα πόδια του Γίγαντα, που σάλεψε τα δάχτυλά του. Την άλλη στιγμή σήκωσε το ρόπαλο απ' τον ώμο του, έτριψε τα μάτια και είπε,

«Μπα σε καλό μου! Πρέπει να με πήρε ο ύπνος! Μπα! Πού είναι εκείνη η καταραμένη η τοσηδούλα μάγισσα που σερνόταν εδώ γύρω; Κάπου κοντά στα πόδια μου ήτανε». Κι όταν όλοι, με γέλια και φωνές, δοκίμασαν να του εξηγήσουν τι είχε συμβεί, ο Γίγαντας έβαλε το χέρι στο αυτί και τους ζήτησε να του τα ξαναπούν, κι όταν επιτέλους κατάλαβε, έσκυψε τόσο χαμηλά, που το κεφάλι του δε θα βρισκόταν πιο ψηλά απ' την κορφή μιας μεγάλης θημωνιάς, κι έβγαλε το σκουφί του με σεβασμό στον Ασλάν, και το άσχημο μα καλοσυνάτο πρόσωπό του άστραψε (οι γίγαντες, καλοί ή κακοί, είναι τώρα τόσο σπάνιοι, στον κόσμο μας, και οι καλόκαρδοι γίγαντες ακόμα πιο σπάνιοι, που σίγουρα δεν είδατε ποτέ σας γίγαντα με το πρόσωπο ν' αστράφτει. Είναι μοναδικό αυτό το θέαμα).

« Ελάτε να μπούμε μέσα στο σπίτι!» φώναξε ο Ασλάν. «Εμπρός, ζωντανέψτε όλοι! Σκάλες πάνω, σκάλες κάτω, και στο δώμα της κυράς! Ούτε γωνίτσα μην αφήσετε άψαχτη. Ποτέ δεν ξέρετε πού μπορεί να κρύβεται κανένας φουκαράς φυλακισμένος».

Όρμησαν όλοι μέσα, και για κάμποση ώρα το σκοτεινό και τρομερό και μουχλιασμένο γέρικο κάστρο αντιλάλησε από τα παράθυρα που άνοιγαν και τις φωνές τους: «Μην ξεχάσετε τα μπουντρούμια –. Δώστε ένα χεράκι εδώ στην πόρτα! – Να κι άλλη στριφογυριστή σκαλίτσα! – Α! Τι μου λες! Το καημενούλι το καγκουρώ! Φωνάξτε τον Ασλάν! – Πουφ! Πώς βρομάει εδώ μέσα – Κοιτάξτε μήπως έχει και καταπακτές –. Εδώ, πάνω όλοι! Έχει κι άλλα στον εξώστη!». Μα το καλύτερο απ' όλα ήταν όταν η Λούσυ όρμησε πάνω σα σίφουνας, φωνάζοντας,

«Τρέξε Ασλάν! Βρήκα τον κύριο Τούμνους! Αχ, έλα γρήγορα!».

Την άλλη στιγμή, η Λούσυ και ο μικρός Φαύνος κρατιόντουσαν από τα χέρια και χόρευαν γύρω γύρω χαρούμενοι. Ο φιλαράκος δεν είχε πάθει τίποτα που έγινε άγαλμα, και φυσικά την έβαλε να του πει με το νι και με το σίγμα όλα τα νέα.

Καμιά φορά, η έρευνα στο κάστρο της Μάγισσας τέλειωσε. Ήτανε όλο αδειανό, με πόρτες και παράθυρα ανοιγμένα διάπλατα, και το φως κι ο γλυκός ανοιξιάτικος αέρας πλημμύριζαν τους σκοτεινούς και διαβολικούς τόπους που τα χρειάζονταν τόσο απελπισμένα. Όλα τα λευτερωμένα αγάλματα όρμησαν πάλι στην αυλή. Και τότε κάποιος (ο Τούμνους, θαρρώ) μίλησε πρώτος:

«Και τώρα πώς θα βγούμε;» γιατί ο Ασλάν είχε πηδήξει πάνω από τα τείχη, κι οι πύλες ήταν κλειδωμένες.

«Κι αυτό θα γίνει», είπε ο Ασλάν σηκώθηκε έπειτα στα πισινά του πόδια και ούρλιαξε στο Γίγαντα. « Ε! Συ κει πάνω! Πώς σε λένε;».

«Γίγαντα Μαστροχαλαστή, με την άδειά σας», είπε ο Γίγαντας κι έβγαλε ξανά το σκουφί του.

«Καλά λοιπόν, Γίγαντα Μαστροχαλαστή», είπε ο Ασλάν. «Φρόντισε να μας βγάλεις έξω. Εντάξει;».

« Εντάξει, αφέντη μου. Μετά χαράς», είπε ο Γίγαντας Μαστροχαλαστής. «Κάντε πέρα από τις πύλες, όλοι εσείς οι μικροί!». Ζύγωσε τότε μόνος του τις καγκελόφραχτες πόρτες και το ρόπαλό του αντήχησε μπανγκ-μπανγκ-μπανγκ. Οι πύλες έτριξαν με το πρώτο χτύπημα, ράγισαν με το δεύτερο, σείστηκαν με το τρίτο. Ο Γίγαντας έσπρωξε τότε τους πύργους, δεξιά κι αριστερά, κι ακούστηκε κρότος φοβερός, σαν κάτι να τσακίζεται, κι ένα κομμάτι του τοίχου, μαζί με τον πύργο, από την κάθε μεριά σωριάστηκε σε συντρίμμια· κι όταν ο κουρνιαχτός κατακάθισε, ήταν πολύ παράξενο να στέκεσαι σε κείνη τη στεγνή και θλιβερή αυλή και να βλέπεις απ' το χάλασμα το χορτάρι και τα δέντρα που σάλευαν, τα λαμπερά ρυάκια του δάσους και πέρα τους γαλάζιους λόφους, κι ακόμα πιο πέρα τον ουρανό.

«Να πάρει η ευχή, σκούριασα και ιδρώνω με το παραμικρό», είπε ο Γίγαντας ξεφυσώντας σαν πελώρια ατμομηχανή. «Πουφ, έχασα τη φόρμα μου! Μήπως καμιά από σας, νεαρές μου κυρίες, έχει μαζί της μαντιλάκι;».

« Εγώ έχω», είπε η Λούσυ και σηκώθηκε στα νύχια των ποδιών της και τέντωσε το μαντίλι της όσο πιο ψηλά μπορούσε.

«Ευχαριστώ, δεσποινιδούλα μου», είπε σκύβοντας ο Γίγαντας Μαστροχαλαστής. Την άλλη στιγμή όμως η

Λούσυ, κοψοχολιασμένη, βρέθηκε στον αέρα, ανάμεσα στα δύο δάχυλα του Γίγαντα. Την πήρε είδηση μόνο όταν είχε πλησιάσει πια στο πρόσωπό του και τότε ξαφνιάστηκε και την ακούμπησε κάτω απαλά μουρμουρίζοντας, «Μπα σε καλό μου! Αντί για μαντίλι, πήρα το κοριτσάκι. Να με συμπαθάς, δεσποινιδούλα μου, νόμιζα πως εσύ ήσουνα το μαντίλι».

«Όχι», είπε η Λούσυ γελώντας, «εδώ είναι το μαντίλι!» Κι αυτή τη φορά ο Γίγαντας κατάφερε να το πάρει, μόνο που για κείνον είχε το μέγεθος που έχει για σας η ασπιρίνη, κι όταν η Λούσυ τον είδε να το τρίβει πέρα δώθε στο πελώριο κόκκινο μούτρο του, είπε, «Φοβάμαι πως δε θα σας εξυπηρετήσει και πολύ, κύριε Μαστροχαλαστή».

«Κάθε άλλο. Κάθε άλλο» είπε ευγενικά ο Γίγαντας. «Είναι το καλύτερο μαντίλι που είδα ποτέ μου. Λεπτό και βολικό. Δε – δεν ξέρω πώς να το πω».

«Τι καλός γίγαντας!» είπε η Λούσυ στον κύριο Τούμνους. «Βέβαια», απάντησε ο Φαύνος, «έτσι είναι όλοι οι Μαστροχαλαστές. Μια από τις πιο ευγενικές οικογένειες γιγάντων στη Νάρνια. Όχι πολύ έξυπνη ίσως (εγώ πάντως ποτέ μου δεν είδα έξυπνο γίγαντα), αλλά παλιά οικογένεια. Με παραδόσεις, ξέρετε. Αν ήτανε από τους άλλους, δε θα τον έκανε πέτρα».

Τότε ο Ασλάν χτύπησε τα μπροστινά του πόδια και ζήτησε ησυχία.

« Η δουλειά μας δεν τέλειωσε ακόμα», είπε. «Κι αν θέλετε να νικήσουμε τη Μάγισσα πριν πάμε για ύπνο, πρέπει να βρούμε αμέσως το πεδίο της μάχης».

«Όχι μόνο να το βρούμε, αλλά να πολεμήσουμε κιόλας», πρόσθεσε ο μεγαλύτερος απ' τους κενταύρους.

«Και βέβαια», είπε ο Ασλάν. «Και τώρα ακούστε.

Όσοι δε μπορούν ν' ακολουθήσουν με τα πόδια, δηλαδή τα παιδιά, οι νάνοι και τα μικρά ζώα, να καβαλήσουν στις ράχες εκείνων που μπορούν – πάνω στα λιοντάρια, τους κένταυρους, τους μονόκερους, τους γίγαντες και τους αετούς. Όσοι έχουν γερή μύτη, ας έρθουνε με μας, τα λιοντάρια, για να μυρίσουμε κατά πού πέφτει η μάχη. Εμπρός, συνταχτείτε και ζωντανέψτε!».

Υπάκουσαν με γέλια και μεγάλη φασαρία. Πιο ευχαριστημένο απ' όλους, ήταν το άλλο λιοντάρι, που έτρεχε δεξιά κι αριστερά τάχα πολύ απασχολημένο, αλλά στην πραγματικότητα για να λέει σ' όποιον έβρισκε μπροστά του, «Άκουσες τι είπε; *Με μας τα λιοντάρια. Δηλαδή με κείνον και με μένα. Με μας τα λιοντάρια. Αυτό μ' αρέσει στον Ασλάν. Ούτε πόζες ούτε καμώματα. Με μας τα λιοντάρια. Δηλαδή, εκείνος κι εγώ».* Και συνέχισε να γυροφέρνει, ώσπου ο Ασλάν του φόρτωσε πάνω του τρεις νάνους, μια

δρυάδα, δυο λαγούς κι ένα σκαντζόχοιρο. Έτσι ησύ-
χασε κάπως.

Όταν ετοιμάστηκαν όλοι (ένα μεγάλο τσοπανό-
σκυλο βοήθησε τον Ασλάν να τους παρατάξει όπως
έπρεπε), βγήκαν από το χάλασμα του μεγάλου τεί-
χους, με πρώτα τα λιοντάρια και τους σκύλους, που
μύριζαν προσεχτικά σ' όλες τις μεριές. Άξαφνα τότε
ένα μεγάλο τσοπανόσκυλο έπιασε τη μυρωδιά και
γαύγισε δυνατά. Δεν έχασαν καιρό. Σε λίγο όλα τα
σκυλιά και τα λιοντάρια και οι λύκοι και τ' άλλα κυ-
νηγιάρικα ζώα έτρεχαν μ' όλη τους τη δύναμη και τη
μύτη στο χώμα. Τα άλλα, μισό μίλι πίσω τους, τ' ακο-
λουθούσαν όσο πιο γρήγορα μπορούσαν. Ο σαματάς
θύμιζε λίγο κυνήγι αλεπούς, μόνο που εδώ γινόταν
πιο μεγάλο γλέντι, γιατί κάθε λίγο στη μουσική των
κυνηγόσκυλων ανακατωνόταν ο βρυχηθμός του άλλου
λιονταριού και, καμιά φορά, το βαθύ και φοβερό
μουγκρητό του Ασλάν. Πήγαιναν όλο και πιο γρή-

γορα, κι η μυρωδιά όλο και δυνάμωνε. Ώσπου, φτάνοντας στην τελευταία στροφή της στενής και στριφογυριστής κοιλάδας, η Λούσυ άκουσε πάνω απ' όλους τους θορύβους έναν άλλο, αλλιώτικο, που την έκανε να νιώσει παράξενα. Κραυγές και ουρλιαχτά και μέταλλο που χτυπούσε πάνω σε μέταλλο.

Βγαίνοντας από τη στενή κοιλάδα, κατάλαβε μεμιάς το λόγο. Εκεί βρισκόταν ο Πήτερ και ο Έντμουντ κι ό,τι απόμεινε απ' το στρατό του Ασλάν; και πολεμούσαν απελπισμένα το πλήθος των τρομερών πλασμάτων που είχε δει την περασμένη νύχτα· μόνο που τώρα στο φως της μέρας φαίνονταν ακόμα πιο παράξενα και διαβολικά και κακομούτσουνα, ίσως και πιο πολλά. Ο στρατός του Πήτερ, που τους είχε γυρίσει τις πλάτες, έμοιαζε τρομαχτικά λίγος. Και σ' όλο το πεδίο της μάχης ήταν σπαρμένα αγάλματα – φαίνεται πως η Μάγισσα είχε χρησιμοποιήσει το σκήπτρο της. Τώρα όμως δεν το κρατούσε πια. Πολεμούσε με το πέτρινο μαχαίρι – και προσπαθούσε να χτυπήσει τον Πήτερ. Οι δυο τους πάλευαν τόσο μανιασμένα, που η Λούσυ δεν κατάφερνε να ξεχωρίσει τι γίνεται. Έβλεπε μόνο το πέτρινο μαχαίρι, και το σπαθί του Πήτερ ν' αστράφτουν τόσο γρήγορα, που της φάνηκαν τρία μαχαίρια και τρία σπαθιά. Οι δυο τους πάλευαν στο κέντρο της παράταξης, μα όπου κι αν κοιτούσες γίνονταν πράγματα φοβερά και τρομερά.

«Παιδιά, κατεβείτε από την πλάτη μου!» φώναξε ο Ασλάν και τα δυο κορίτσια κουτρουβάλησαν κάτω. Και τότε, μ' ένα φοβερό βρυχηθμό που τράνταξε όλη τη Νάρνια, από το δυτικό φανοστάτη ως τις ακτές της Ανατολικής Θάλασσας, το μεγάλο θηρίο ρίχτηκε στη Λευκή Μάγισσα. Η Λούσυ είδε για μια στιγμή το πρόσωπό της, όλο τρόμο κι απορία, καθώς γύρισε να κοιτάξει το Λιοντάρι. Έπειτα, Λιοντάρι και Μάγισσα κυλίστηκαν στο χώμα - αλλά η Μάγισσα κάτω από το Λιοντάρι. Και την ίδια στιγμή όλοι οι πολεμιστές που κουβάλησε ο Ασλάν από το σπίτι της Μάγισσας όρμησαν ξέφρενα στις γραμμές του εχθρού: οι νάνοι με πολεμικά τσεκούρια, οι σκύλοι με τα δόντια, ο Γίγαντας με το ρόπαλό του (χώρια τα πόδια του, που έλιωναν δεκάδες εχθρούς), οι μονόκεροι με τα κέρατά τους, οι κένταυροι με τα σπαθιά και τις οπλές τους. Κι ο κουρασμένος στρατός του Πήτερ άρχισε να ζητωκραυγάζει, κι οι καινουριοφερμένοι ούρλιαζαν κι ο εχθρός τσίριζε κι έτρεμε ώσπου το δάσος ξαναντήχησε με την αντάρα της καινούριας επίθεσης.

Το κυνήγι του Γαλατένιου Ελαφιού

Λίγα λεπτά μετά τον ερχομό τους, η μάχη τέλειωσε. Οι περισσότεροι εχθροί σκοτώθηκαν στην πρώτη επίθεση του Ασλάν και των συντρόφων του· κι όσοι απόμειναν ακόμα ζωντανοί, βλέποντας τη Μάγισσα νεκρή παραδόθηκαν ή το 'βαλαν στα πόδια. Η Λούσυ είδε τον Πήτερ και τον Ασλάν να δίνουν τα χέρια. Παράξενη που ήταν η όψη του Πήτερ — το πρόσωπό του φαινόταν χλωμό και αυστηρό, κι έμοιαζε πολύ μεγαλύτερος.

«Όλα τα χρωστάμε στον Έντμουντ», έλεγε ο Πήτερ στον Ασλάν. «Αν δεν ήταν αυτός, θα μας νικούσαν. Η Μάγισσα είχε αρχίσει να κάνει πέτρα τους στρατιώτες μας, δεξιά κι αριστερά. Εκείνον όμως τίποτα δεν·τον σταματούσε. Σκότωσε τρία τελώνια που του 'κλειναν το δρόμο, τη στιγμή που εκείνη πέτρωνε τον ένα πάνθηρά σου. Κι όταν την έφτασε, είχε τη σύνεση να της τσακίσει με το σπαθί του το σκήπτρο, αντί να δοκιμάσει να τη χτυπήσει και να γίνει πέτρα, μετά από τόσους κόπους. Αυτό το λάθος έκαναν όλοι οι άλλοι. Όταν έσπασε το σκήπτρο της, αρχίσαμε να ελπίζουμε παλι – όπως είχαμε χάσει κιόλας πολλούς. Ο Έντμουντ πληγώθηκε βαριά. Πρέπει να πάμε να τον βρούμε».

Τον βρήκαν στα χέρια της κυρίας Καστορίνας, λίγο πιο πίσω από τη γραμμή της μάχης. Ήταν γεμάτος αίματα, με το στόμα ανοιχτό, και το πρόσωπό του είχε πάρει ένα απαίσιο πράσινο χρώμα.

«Γρήγορα Λούσυ!» είπε ο Ασλάν.

Και τότε, σχεδόν για πρώτη φορά, η Λούσυ θυμήθηκε το πολύτιμο φίλτρο που της είχε χαρίσει ο Μπαρμπα-Χριστούγεννας. Τα χέρια της έτρεμαν τόσο που δε μπορούσε να ξεβουλώσει το μπουκαλάκι, όμως στο τέλος τα κατάφερε κι έσταξε μερικές σταγόνες στο στόμα του αδερφού της.

« Υπάρχουν κι άλλοι πληγωμένοι», είπε ο Ασλάν καθώς η Λούσυ κοίταζε ακόμα μ' αγωνία το χλωμό πρόσωπο του Έντμουντ κι αναρωτιόταν αν θα φέρει αποτέλεσμα το φίλτρο.

«Το ξέρω», έκανε ο Λούσυ τσαντισμένη. «Στάσου μισό λεπτό».

«Κόρη της Εύας», είπε σοβαρά ο Ασλάν, είναι πολλοί οι ετοιμοθάνατοι. Χρειάζεται να πληρώσουν κι άλλοι για τον Έντμουντ;

«Με συγχωρείς, Ασλάν», είπε η Λούσυ. Σηκώθηκε και τον ακολούθησε. Και γι' άλλη μισή ώρα δε σταμάτησαν καθόλου. Η Λούσυ φρόντιζε τους λαβωμένους κι ο Ασλάν εκείνους που είχαν μαρμαρώσει. Όταν καμιά φορά τελείωσε και γύρισε στον Έντμουντ, τον βρήκε όρθιο μα δεν είχαν γειάνει μόνο οι πληγές του · η όψη του ήταν περίφημη, σαν τον παλιό καλό καιρό – δηλαδή, πριν πάει σε κείνο το φοβερό σχολείο κι αρχίσει ν' αναποδιάζει. Είχε ξαναβρεί τον παλιό

εαυτό του και σε κοιτούσε κατάματα. Και κει, στο πε
δίο της μάχης, ο Ασλάν τον έκανε ιππότη.

«Λες να ξέρει τι έπαθε για χάρη του ο Ασλάν;» ψι
θύρισε η Λούσυ στη Σούζαν. «Λες να ξέρει ποια ήταν
η συμφωνία που έκλεισε με τη Μάγισσα;».

«Σουτ! Και βέβαια όχι», είπε η Σούζαν.

«Δε θα 'πρεπε να το μάθει», είπε η Λούσυ.

«Ούτε λόγος», απάντησε η Σούζαν. «Θα του φαινό
ταν τρομερό. Για σκέψου πώς θα 'νιωθες εσύ στη θέση
του».

«Πάντως εγώ λέω ότι πρέπει να το μάθει», είπε η
Λούσυ.

Εκείνη τη στιγμή όμως τις έκοψαν.

Κοιμήθηκαν τη νύχτα εκεί που βρίσκονταν. Πώς τα
κατάφερε ο Ασλάν να βρει φαΐ για όλους, δεν το

ξέρω· με κάποιο τρόπο όμως, βρέθηκαν όλοι καθισμένοι στο χορτάρι για ένα καθυστερημένο – αλλά σπουδαιο – τσάι κατά τις οχτώ. Την αλλη μέρα άρχισε η πορεία στ' ανατολικά, πλάι στο μεγάλο ποτάμι. Και την επομένη μέρα, έφτασαν στις εκβολές του. Το κάστρο του Κάιρ Πάραβελ πάνω στο μικρό του λόφο ορθωνόταν πελώριο από πάνω τους· μπροστά τους είχαν την αμμουδιά, γεμάτη βράχια και λιμνούλες αρμυρό νερό και φύκια· μύριζε θάλασσα κι ατέλειωτα μίλια γαλαζοπράσινα κύματα έσπαγαν στην ακτή. Και οι φωνές των γλάρων! Τις έχετε ακούσει ποτέ; Θυμόσαστε;

Το ίδιο βράδυ, μετά το τσάι, τα τέσσερα παιδιά κατάφεραν να ξανακατεβούν στην ακροθαλασσιά. Έβγαλαν παπούτσια και κάλτσες κι έχωσαν στην άμμο τα γυμνά τους πόδια. Μα η επόμενη μέρα ήταν πιο επίσημη. Γιατί τότε, μέσα στη Μεγάλη Αίθουσα του Κάιρ Πάραβελ – εκείνη την υπέροχη αίθουσα με τη φιλντισένια στέγη και το δυτικό τοίχο γεμάτο φτερά παγονιού και την ανατολική πύλη που έβλεπε κατά τη θάλασσα, μπροστά σ' όλους τους φίλους τους κι ενώ παίζαν οι σάλπιγγες – ο Ασλάν τους έστεψε επίσημα και τους οδήγησε στους τέσσερις θρόνους ανάμεσα σε φοβερές ζητοκραυγές που σου παίρναν τ' αυτιά:

«Ζήτω ο Βασιλιάς Πέτρος! Ζήτω η Βασίλισσα Σουζάνα! Ζήτω ο Βασιλιάς Εδμόνδος! Ζήτω η Βασίλισσα Λούσυ!».

«Άμα γίνεις βασιλιάς στη Νάρνια, είσαι πάντα βασιλιάς. Να το θυμόσαστε καλά, Γιοι του Αδάμ και κόρες της Εύας!» είπε ο Ασλάν.

Και από την ανατολική πύλη, που ήταν ανοιγμένη διάπλατα, ακούγονταν οι τρίτωνες και οι γοργόνες που κολυμπούσαν κοντά στις ακτές και τραγουδούσαν για τους καινούριους βασιλιάδες.

Κάθισαν λοιπόν τα παιδιά στους θρόνους και τους έδωσαν τα σκήπτρα στα χέρια, και κείνοι μοίρασαν τιμές και βραβεία σ' όλους τους φίλους, τον Τούμνους και τους Κάστορες, και το Γίγαντα Μαστροχαλαστή, τους πάνθηρες και τους καλούς κενταύρους και τους καλούς νάνους και το λιοντάρι. Και κείνη τη νύχτα έγινε μεγάλο γλέντι στο Κάιρ Πάραβελ, και παρελάσεις και χοροί, κι άστραφτε το χρυσάφι και κυλούσε το κρασί, και σαν απάντηση στη μουσική μέσα στο κάστρο, όμως πιο γλυκιά, αλλόκοτη και διαπεραστική, ερχόταν η μουσική από τα πλάσματα της θάλασσας.

Και μέσα σε τούτο το γιορτάσι, ο Ασλάν βρήκε την ευκαιρία να φύγει αθόρυβα. Όταν οι βασιλιάδες κι οι βασίλισσες κατάλαβαν πως λείπει, δεν είπαν τίποτα. Γιατί ο κύριος Κάστορας τους είχε προειδοποιήσει, «θα 'ρχεται και θα φεύγει», είχε πει. «Μια θα τον βλέπετε και μια θα χάνεται. Δεν του αρέσει να μένει δεμένος – κι ύστερα, έχει κι άλλους τόπους να φροντίσει. Μη σας νοιάζει. Θα μας έρχεται συχνά. Μόνο να μην τον ζορίζετε. Είναι αγρίμι, στο κάτω κάτω. Όχι *ήμερο* λιοντάρι».

Και τώρα, όπως βλέπετε, η ιστορία κοντεύει στο τέλος της (αλλά δεν τέλειωσε ακόμα). Οι δύο βασιλιάδες κι οι δυο βασίλισσες κυβέρνησαν καλά τη Νάρνια, κι η βασιλεία τους ήταν μακρόχρονη κι ευτυχισμένη. Στην αρχή έψαξαν να βρουν ό,τι απόμεινε από το στρατό της Λευκής Μάγισσας και να το καταστρέψουν κι αληθινά, για κάμποσο διάστημα έρχονταν πάντα μαντάτα για διαβολικά πλάσματα που κρύβονταν στα πιο απάτητα μέρη του δάσους – ένα στοιχειό

176

εδώ, εκεί ένα φονικό, κάποιος που είδε το λυκάνθρωπο κάποια φορά, κι η φήμη πως βγήκε στρίγγλα εκεί γύρω την άλλη. Στο τέλος όμως όλοι οι κακοί νικήθηκαν. Κι έφτιαξαν νόμους σωστούς και κράτησαν την ειρήνη κι έσωσαν τα καλά δέντρα να μην κοπούν ανώφελα, και λευτέρωσαν τα νανάκια και τα σατυράκια που ήθελαν να τα στείλουν σχολείο, κι έβαλαν στη θέση τους τούς κουτσομπόληδες και τους ανακατωσούρηδες, κι υποστήριξαν τους καλούς απλούς ανθρώπους που ήθελαν να ζουν κι άφηναν και τους άλλους στην ησυχία τους. Κι απώθησαν τους άγριους γίγαντες (που δεν έμοιαζαν με το Γίγαντα Μαστροχαλαστή), στα βόρεια της Νάρνια, όταν δοκίμασαν να πατήσουν τα σύνορά της. Κι έπιασαν φιλίες και συμμαχίες με χώρες πέρα από τη θάλασσα, κι έκαναν επίσημες επισκέψεις και δέχτηκαν επίσημους ξένους. Και τα χρόνια περνούσαν, και κείνοι μεγάλωναν κι άλλαζαν. Κι ο Πήτερ έγινε άντρας ψηλός κι αδύνατος, μεγάλος πολεμιστής, και τον έλεγαν ο Βασιλιάς Πέτρος ο Μεγαλοπρεπής. Κι η Σούζαν έγινε μια ψηλή και χαριτωμένη κοπέλα με μαύρα μαλλιά που της έφταναν ως κάτω στα πόδια, κι οι βασιλιάδες από τις χώρες πέρα από τη θάλασσα άρχισαν να στέλνουν πρεσβευτές και να γυρεύουν να την παντρευτούν. Και την έλεγαν Σουζάνα Ευγενική. Ο Έντμουντ έγινε πιο σοβαρός και σιωπηλός από τον Πήτερ, σπουδαίος σύμβουλος και δικαστής. Και τον έλεγαν ο Βασιλιάς Εδμόνδος ο Δίκαιος. Όσο για τη Λούσυ, ήταν πάντα χαρούμενη και χρυσομαλλούσα, κι όλα τα αρχοντόπουλα σε κείνα τα μέρη ήθελαν να την κάνουνε βασίλισσά τους, κι ο λαός της τη φώναζε Βασίλισσα Λούσυ η Γενναία.

Κι έζησαν έτσι μέσα σε χαρές μεγάλες, κι αν κάποτε

θυμόντουσαν τη ζωή τους σ' αυτό τον κόσμο, ήταν όπως θυμάται κανείς το όνειρό του. Και μια χρονιά ο Τούμνους (που πια ήταν ένας μεσόκοπος Φαύνος κι άρχιζε να παχαίνει) κατέβηκε απ' το ποτάμι και τους έφερε τα νέα, πως το Γαλατένιο Ελάφι είχε ξαναφανεί στα μέρη του – το Γαλατένιο Ελάφι που, αν το έπιανες, σου εκπλήρωνε όλες τις επιθυμίες. Κι έτσι οι δυο βασιλιάδες κι οι δυο βασίλισσες, μαζί με τους μεγάλους αυλικούς τους, ξεκίνησαν για το κυνήγι με σκυλιά και σάλπιγγες μέσα στα Δυτικά Δάση, ακολουθώντας το Γαλατένιο Ελάφι. Και πριν κάνουν πολύ δρόμο, το είδαν να περνάει. Και το κυνήγησαν καμπόσο, σε ισιώματα και χαράδες, σε λόχμες και σε ξέφωτα, ώσπου τα άλογα των αυλικών απόκαμαν και μόνο οι τέσσερις ακολουθούσαν. Είδανε τότε το ελάφι να μπαίνει σε μια λόχμη πυκνή, που δε χωρούσαν να περάσουν τ' άλογά τους, κι είπε ο Βασιλιάς Πέτρος (γιατί τώρα μιλούσαν αλλιώτικα, αφού είχανε κάνει τόσο καιρό βασιλιάδες και βασίλισσες), « Αγαπημένα μου αδέρφια, ας ξεπεζέψουμε ν' ακολουθήσουμε το ζώο τούτο μέσα στη λόχμη· ποτέ σ' όλη μου τη ζωή δεν κυνήγησα τόσο ευγενικό θήραμα».

«Κύριε», είπαν οι άλλοι, «ας γίνει έτσι».

Ξεπέζεψαν λοιπόν και δέσαν τ' άλογα στα δέντρα και μπήκανε πεζοί στην πυκνή λόχμη. Και μόλις μπήκαν, η Βασίλισσα Σουζάνα είπε,

« Αγαπημένοι φίλοι, κοιτάξτε αυτό το θαύμα, θαρρώ πως βλέπω ένα δέντρο σιδερένιο».

«Κυρία», είπε ο Βασιλιάς Εδμόνδος, «αν το κοιτάξετε καλά, θα δείτε ότι πρόκειται για σιδερένια κολόνα, μ' ένα φανάρι στην κορυφή της».

«Μα τη χαίτη του Λιονταριού, μυστήριο κατασκεύασμα», είπε ο Βασιλιάς Πέτρος. « Έστησαν το φανάρι σε τέτοιο μέρος, όπου τα δέντρα είναι τόσο πυκνά γύρω του και τόσο ψηλά, που κι αναμμένο δε θα φώτιζε κανέναν».

«Κύριε», είπε η Βασίλισσα Λούσυ. «Δεν αποκλείεται, όταν θα στήθηκε αυτή η κολόνα του φαναριού, γύρω της να βρίσκονταν μικρότερα δέντρα, ή λιγότερα, ή και κανένα. Γιατί το δάσος μοιάζει νέο, κι η κολόνα παλιά». Έμειναν λοιπόν και την κοιτούσαν.

Και τότε ο Βασιλιάς Εδμόνδος είπε:

«Δεν ξέρω τι συμβαίνει, αλλά πόσο παράξενα με συγκινεί αυτό εδώ το φανάρι πάνω στην κολόνα. Περνάει από το νου μου η περίεργη σκέψη πως κάπου το έχω ξαναδεί· μπορεί σε όνειρο, ή όνειρο του ονείρου».

«Κύριε», αποκρίθηκαν όλοι, «το ίδιο συμβαίνει και σε μας».

«Και κάτι ακόμα», είπε η Βασίλισσα Λούσυ. «Γιατί

δε λέει να μου φύγει από το νου πως αν περάσουμε την κολόνα, μας περιμένουν παράξενες περιπέτειες ή ίσως η τύχη μας αλλάξει σοβαρά».

«Κυρία», είπε ο Βασιλιάς Εδμόνδος, «το ίδιο προαίσθημα ταράζει και τη δική μου καρδιά».

«Και τη δική μου, αγαπημένε αδερφέ», είπε ο Βασιλιάς Πέτρος.

«Και τη δική μου», είπε η Βασίλισσα Σουζάνα. «Γι' αυτό, αν θέλετε τη συμβουλή μου, ας γυρίσουμε αμέσως στ' άλογά μας, κι ας μην ακολουθήσουμε άλλο το Γαλατένιο Ελάφι».

«Κυρία», είπε ο Βασιλιάς Πέτρος, «εδώ θα σας παρακαλούσα να με συχωρέσετε. Γιατί ποτέ απ' όταν οι τέσσερίς μας γίναμε βασιλιάδες και βασίλισσες της Νάρνια, δεν παραιτηθήκαμε από τίποτα σπουδαίο – μάχες, κατακτήσεις, πράξεις δικαιοσύνης και τα παρόμοια· με ό,τι κι αν καταπιαστήκαμε, τα καταφέραμε όπως πρέπει».

« Αδερφή μου», είπε η Βασίλισσα Λούσυ, «ο βασιλιάς αδερφός μας μίλησε σωστά. Και μου φαίνεται πως θα ήταν ντροπή, αν από φόβο ή κακό προαίσθημα εγκαταλείπαμε το κυνήγι τούτου του ευγενικού ζώου».

«Το ίδιο θα 'λεγα και γω», είπε ο Βασιλιάς Εδμόνδος. «Και τόσο λαχταρώ να ανακαλύψω τι σημαίνει αυτό το πράγμα, που δε θα σταματούσα με τη θέλησή μου, μήτε κι αν μου χάριζαν το μεγαλύτερο πολύτιμο πετράδι σ' όλη τη Νάρνια κι όλα τα νησιά».

«Τότε, στο όνομα του Ασλάν», είπε η Βασίλισσα Σουζάνα, «αφού όλοι το θέλετε έτσι, ας προχωρήσουμε να βρούμε την περιπέτεια που μας περιμένει».

Κι έτσι οι βασιλιάδες κι οι βασίλισσες προχώρησαν στη λόχμη, και πριν κάνουν λίγα βήματα όλοι θυμήθηκαν πως εκείνο το πράγμα που είδαν το λένε φανοστάτη, και σ' άλλα είκοσι βήματα πρόσεξαν πως δεν άνοιγαν πια δρόμο ανάμεσα σε κλαριά, αλλά σε πανωφόρια. Και την άλλη στιγμή βρέθηκαν όλοι να κουτρουβαλούν από την πόρτα της ντουλάπας μέσα στον ξενώνα, και πια δεν ήταν βασιλιάδες και βασίλισσες με τις στολές του κυνηγιού, αλλά μονάχα ο Πήτερ, η Σούζαν, ο Έντμουντ και η Λούσυ με τα κανονικά τους ρούχα. Ήταν η ίδια μέρα και η ίδια ώρα που είχαν μπει στη ντουλάπα να κρυφτούν. Η κυρα-Μακρέντυ και οι ξένοι μιλούσαν ακόμα στο διάδρομο ευτυχώς όμως, δε μπήκαν στον ξενώνα και δεν είδαν τα παιδιά.

Κι εδώ θα τέλειωνε η ιστορία, αν δεν ένιωθαν στ' αλήθεια την ανάγκη να εξηγήσουν στον καθηγητή πώς έγινε και λείπουν τέσσερα πανωφόρια απ' τη ντουλάπα του. Κι ο καθηγητής, που ήταν πολύ σπουδαίος άνθρωπος, δεν τους είπε ν' αφήσουν τις ανοησίες ή να μη λένε ψέματα, αλλά πίστεψε όλη την ιστορία. «Όχι», είπε, «νομίζω πως δε θα βγει τίποτα να προσπαθήσετε να ξαναμπείτε από την πόρτα της ντουλάπας για να πάρετε τα πανωφόρια. Δε θα ξαναμπείτε στη Νάρνια από τον ίδιο δρόμο. Κι αν μπαίνατε, δε θα χρειαζόσαστε πια τα πανωφόρια, έτσι; Φυσικά, θα ξαναγυρίσετε στη Νάρνια κάποια μέρα. Άμα γίνεις βασιλιάς στη Νάρνια, είσαι πάντα βασιλιάς. Όμως μη δοκιμάσετε τον ίδιο δρόμο δυο φορές. Εδώ που τα λέμε, μην *προσπαθήσετε* να πάτε εκεί, καθόλου. Θα σας συμβεί κάποια στιγμή που δε θα το επιδιώκετε. Και μην την πολυκουβεντιάζετε, ούτε και μεταξύ σας. Μήτε να την αναφέρετε σε άλλον, εκτός κι αν ανακαλύψετε πως είχε παρόμοιες περιπέτειες με σας. Τι λέτε; Πώς θα το καταλάβετε; Α, θα το καταλάβετε *με την πρώτη.* Κάτι παράξενο που θα σας πει – ακόμα και η όψη του – θα προδώσει το μυστικό. Να 'χετε τα μάτια σας ανοιχτά. Μπα σε καλό μου, τι τους μαθαίνουν επιτέλους σε τούτα τα σχολεία;».

Κι εδώ τελειώνουν οι περιπέτειες της ντουλάπας. Αν όμως ο καθηγητής είχε δίκιο, είναι μόνο η αρχή των περιπετειών στη Νάρνια.